Pwll Ynfyd

ALUN

COB

Pwll Ynfyd

Gomer

Cyhoeddwyd yn 2011 gan Wasg Gomer, Llandysul,
Ceredigion SA44 4JL.

ISBN 978 1 84851 449 2

Dymuna'r cyhoeddwyr gydnabod cymorth Cyngor Llyfrau Cymru.

Argraffwyd a rhwymwyd yng Nghymru gan Wasg Gomer, Llandysul Ceredigion.

i Hawis

Bychan fydd mam y cynfil

Haf 2004

DAETH DAGRAU i lygaid Oswyn Felix wrth iddo besychu, y fflem yn ei sgyfaint yn rhyddhau ryw ychydig, fel gwm cnoi oddi ar sowdl esgid.

'Dyna ti'n gael am stopio ffycin smocio,' dywedodd Mike Glas-ai, trwy gwmwl o'i fwg sigarét, yn eistedd wrth y bar.

'Sa'm llawer o jans gena i efo chdi'n emitio fel rhyw mini Wylfa yn 'y ngwyneb o fana trw' dydd,' atebodd Oswyn o'r tu ôl i'r bar, ei law ar ei frest, yn gwneud yn siŵr ei fod yn dal yno.

Gwenodd Mike a chymerodd ddrag ddofn ar ei Lambert & Butler. Roedd hi'n od o ddistaw yn y Penrhyn – Mike wrth y bar, Burgess ar y sgiw yn y ffenest flaen yn nyrsio'i beint cynta o Guinness, ac Oswyn yn cadw llygad arnynt. Chwarter i hanner, dydd Sul ganol mis Awst, felly doedd y stiwdants heb ddychwelyd eto i Fangor Uchaf. Penderfynodd Oswyn Felix agor am un ar ddeg, fel arfer, er nad oedd neb yn paratoi cinio yn yr haf yn y Penrhyn Arms. Dyl Mawr oedd y tu ôl i'r bar iddo heddiw; doedd ei shifft ddim yn cychwyn tan un o'r gloch, ond doedd gan Felix ddim awydd bod ar ei ben ei hun yn y fflat chwilboeth uwchben ei dafarn, pob ffenest yn agored a dim ond ambell chwa o awel gynnes, fel sychwr gwallt, yn symud mymryn ar ei gyrtans.

Roedd y jiwcbocs yn cysgu; yr arferiad oedd mai'r cynta i fod angen ei wasanaeth oedd yn ei ddeffro, felly roedd Felix yn rhydd i wrando ar ei fiwsig personol, a'i fŵmbocs Sony o dan y bar. Wrth i 'The first of the gang to die' gan Morrissey dynnu at ei therfyn ac Oswyn yn trio cael fewn i'r albwm cyn i'r gân nesa gychwyn, dyma Burgess yn chwyrnu o'i sgiw ei bod hi'n bwrw glaw.

'It's coming down in sheets,' medda fo wedyn, yn gwybod ei bod hi'n anodd i'r ddau arall weld allan, a'r bar ar yr ochr ac yng nghefn y dafarn. Ymunodd Oswyn â Burgess i edrych ar y glaw; doedd hi ddim wedi bwrw ers dros fis, a chafodd wefr fach o weld pŵer y glaw yn curo'r lôn tu allan. Cododd ogla'r môr i fewn drwy'r ffenestri bach top.

'Lwcs laic wîr getin ol of Ogysts in wyn go. Ei, Burgess?'

'Smells like a tart's knickers in 'ere,' atebodd yntau yn ei lais hen forwr Bangor ai gorau.

Doedd y gawod yn gwneud dim i dorri ar yr awyrgylch llethol a fu'n gwasgu dros y Ddinas ers bron i bythefnos, ac roedd hi'n amlwg y byddai hon yn chwythu'i phlwc yn go handi. Atgoffodd y glaw Oswyn o'r ffilm *Blade Runner*, a chofiodd ddarllen ar y pryd bod y glaw smal ar y ffilm yn gorfod disgyn yn llawer iawn trymach na glaw go iawn, neu ni fuasai'r camera'n ei gofnodi. Mi fasa'r storom fach hon wedi siwtio'n iawn, meddyliodd. Yna daeth tacsi i stop dros y ffordd a daeth ffigwr – côt ysgafn dros ei ben – allan o ochr y teithiwr gan gamu'n frysiog ar draws y lôn am y Penrhyn. Agorodd Oswyn Felix y drws mewnol i adael iddo gael mynediad sydyn i'r bar; Sioned, cariad Dyl Mawr, gamodd heibio yn edrych cyn wynned â'r galchen, y mascara'n ddu rownd ei llygaid a'i hwyneb wedi'i ddifwyno, ond ddim gan y glaw. Cafodd Felix deimlad sydyn o ddychryn . . . mynd ar garlam o flaen gofid . . . ogla marwolaeth.

'Iesu Sioned, ti'n iawn?' Cwestiwn gwirion.

'Be, dwi'n edrych mor wael â hynna, yndw?' atebodd Sioned. 'Rho hi fel 'ma Felix, 'dio ddim 'di marw – not ffyr lac of trai-in', maind.'

Ac yntau'n eistedd wrth un o'r byrddau hanner-parchus gyferbyn â'r bar, roedd Felix wedi tywallt brandi i Sioned. Roedd o'n ymwybodol o'r ystrydeb, ond derbyniodd hi'r ffisig fel pe bai'n Ficer yn derbyn paned o de.

'Pwy uffar fysa isho rhoi stîd i Dyl?' holodd Felix.

''Di o'm 'di gallu deud. Boi'r garej ddaru ffonio'r ambiwlans, a dwi, na fo'm 'di siarad yn iawn efo'r cops eto.'

'Ar y ffordd o fama oedd o, ma rhaid. Faint o'r gloch ddaru'r boi ffonio am ambiwlans, ti'n gwbod?'

'Jest ar ôl hanner nos – ges i ffôn côl gan yr hospital tua hâff twelf.'

'Lwcus bo chdi adra.'

'Newydd ddod i tŷ o'n i, dwi 'rioed 'di sobri mor blydi gyflym. 'Swn i'n medru cysgu am wsnos 'wan.'

Roedd Oswyn yn gwybod bod Sioned allan neithiwr ym mharti plu un o'r merchaid eraill o'i gwaith yn Tesco. Dyl yn dweud ei fod yn gobeithio na fyddai'n gorfod cadw'i gwallt du hir allan o'r bowlen tra oedd hi'n chwydu, ar ôl iddo fo fynd adra.

'So fydd o ddim yn dod i neud 'i shifft pnawn 'ma felly?' dywedodd Oswyn Felix yn ded-pan, a chafodd wên a lledchwerthiniad gan gariad ei ffrind.

'Ffycin 'el Felix, ma 'na olwg y diawl arna fo, sdi. Doedd o ddim yn oil peinting yn y lle cynta, mae'n edrych fel rwbath gan ffycin Picasso rŵan.'

Uffar o hogan, Sioned, meddyliodd Felix, a dagrau'n ffurfio yn ei llygaid wrth iddi jocian am rywbeth mor boenus. Cododd Felix.

'Ty'd, dwi'n mynd â chdi adra, wedyn ga i air efo Dyl.'

'Ond 'sgen ti neb i watsiad ar ôl y bar.'

'Imyrjensi plan of acshyn.' Cododd hi o'i sêt yn dyner gerfydd ei braich a'i hebrwng tua'r drws. 'Mike, paid â cymryd tshecs, paid â smocio tu ôl i'r bar a plîs, plîs paid â meddwi gormod – iôr in tsharj.' Taflodd ei oriadau a tharo Mike Glas-ai ar dop ei fol cwrw cyn iddynt ffeindio'u ffordd i'w law dde. Roedd ei law chwith wrthi'n dal ei smôc. 'Fydda i mor sydyn ag y galla i.'

'Ies, syr,' meddai Mike yn ei acen Americanaidd orau, gan saliwtio oddi ar ei stôl.

Awyr drymaidd a llwyd ddaeth yn sgil y gawod, a stêm tenau'n prysur ddianc 'nôl i fyny oddi ar y ffordd o'u blaenau. Roedd Sioned, oedd yn eistedd wrth ochr Oswyn yn ei VW Golf, yn gafael yn nhop ei thrwyn gyda'i bys a bawd. Doedd Oswyn ddim yn cofio iddo fod yng nghwmni Sioned pan nad oedd hi'n siarad, pryfocio, cael amser da yn gyffredinol.

'Fydd o'n iawn 'sti, Sion,' meiddiodd ddweud, yn methu diodde'r tawelwch rhagor. Roedd o'n gwybod beth oedd yn mynd i ddod fel ateb.

'Dwi'n gwbod ffycin hynna, dydw? Craist. 'Di blino dwi . . . isho 'ngwely.' Crio smal y ddau air olaf.

Penderfynodd Oswyn gau'i geg a dreifio.

Byr dryganian a wna hir ofal

Ar ôl rhoi twt cyflym o ffarwél, gadawodd Oswyn ystad Hendre Foel, a Sioned yn brasgamu, yn byseddu bwndel o oriadau, i fyny'r llwybr blaen rhif 32, yn ei ddrych ôl.

Amcangyfrifodd y buasai'n cymryd tua wyth munud i ddreifio o gwmpas y ddinas ar hyd ymyl y Fenai cyn troi i mewn am yr ysbyty. Digon o amser, meddyliodd yn braf wrtho'i hun, am ryw sbliffan fach. Roedd Oswyn yn casáu ymweld â'r ysbyty, ac yn sicr roedd gweld rhywun yn sâl yno yn llawer gwaeth iddo na bod yno mewn gwely ei hun. Doedd neb, dim hyd yn oed Dyl Mawr, yn gwybod am fodolaeth y sigarét argyfwng oedd yn cuddio'n daclus wedi'i selotêpio mewn clingffilm y tu ôl i flwch llwch y dash. Cyrhaeddodd gylchfan mynedfa'r ysbyty fel oedd rôtsh y sigarét yn dechrau llosgi'i wefus. Taiming, meddyliodd, wrth ollwng y stwmp allan drwy'r ffenest. Gwnaeth nodyn cyflym iddo'i hun i gofio gosod sbliff arall yn ei fan cudd cyn gyntad â phosib.

Fel yn y gorffennol, cael a chael oedd hi. Roedd coridorau'r ysbyty'n pasio heibio'n donnau nerfus o'i flaen wrth iddo'u cerdded yn ofalus, fel pe bai'r lloriau feinyl yn uwd o blu. Ceisiodd Felix ddarbwyllo'i hun mai sgil-effaith bleserus y ganja oedd yn ei wneud yn chwil, nid ei alergedd anesboniadwy i'r adeilad. Roedd y nyrs dew wrth ddesg y dderbynfa wedi'i gyfeirio at Ward Ogwen, ond dim ond wedi iddo hawlio Dyl yn frawd cig a gwaed iddo.

'Tydi fisitio ddim tan un – heblaw am teulu,' meddai'r dderbynwraig forfilaidd yn undonog, ei llygaid wedi hanner cau. Daeth Jabba the Hut o'r ffilm *Star Wars* i feddwl Oswyn Felix wrth iddo ddweud, 'Wel, 'y mrawd bach i ydi o.' Gwenodd, ychydig yn rhy llydan, cyn ychwanegu, 'Felly no problemo.'

Cyrhaeddodd y ward gan deimlo rhyddhad bod y daith ar ben, yr awyrgylch yn newid o fod yn olau, eang a di-arogl yn y coridor i fod yn llawer culach a cynhesach, a sŵn gwenynaidd yr *air-con* yn symud yr aer annymunol o gwmpas. Yr ogla'n gymysgfa nychlyd o antiseptig, chwys a drwganadl. Coridor arall oedd Ward Ogwen gyda stafelloedd yn mynd, fel tyllau cwningod, bob sut i'r dde a'r chwith. Cerddodd Felix yn ddistaw i lawr y rhodfa gan roi'i ben i mewn i'r stafelloedd i sbecian am ei gyfaill.

'Fedra i helpu?'

Neidiodd Oswyn, yn bennaf oherwydd lefel sain y llais yn hytrach na'i bresenoldeb annisgwyl, ac yntau wedi bod yn trin y lle fel llyfrgell.

'Sori?' atebodd wrth droi i wynebu'r holwr, nyrs ifanc a'i hwyneb tlws yn llygadrythu arno. 'Oswyn, y, o . . . Felix Tomos, brawd Dylan.' Cynigiodd ei law iddi gan feddwl mewn difri mai hon oedd y ferch ddelia iddo gofio'i gweld ers i'r stiwdants adael am yr haf.

'Rhyfadd,' dechreuodd 'Nyrs Ratchet'. ''Nes i ofyn iddo fo am deulu bora 'ma. Ella mod i'n ffwndro, cos ddedodd o fod dim teulu i gael, mond ei gariad . . . necs o cin fform ishio'i llenwi 'dach chi'n gweld, Mistyr Tomos.'

'O,' meddai Mr Tomos yn euog, gan godi'i law estynedig at ei wyneb i guddio o leiaf un o'i fochau coch. Croesodd y nyrs ei breichiau'n amddiffynnol o'i blaen. Cymerodd Felix fod y ffaith ei bod yn hanner gwenu o weld ei embaras yn arwydd da, felly mentrodd ddweud, 'Dwi'n sori am y celwydd. Ffrind gora Dyl dwi, a jest methu disgwyl . . .' Ymdrechodd i wenu arni trwy'i wrid, nad oedd yn beth hawdd i'w wneud. 'A . . . mi o'n i'n meddwl y basa'n cymyd hannar awr i mi ffeindio'r ward, ac erbyn hynny mi fasa hi wedi un.'

'A bod yn onast, Mistyr Tomos . . .'

'Felix.'

'Mistyr Felix, deud y gwir, does dim fform necst o cin i gal. O'n i'n rysgol efo Sioned, a roedd hi yma bora 'ma pan ddes i on. Hi roddodd hanes ei chariad i fi, a ges i ffôn gan resepsion yn warnio fi bod rhywun dodji ar ei ffordd i fyny.'

Teimlodd Felix ei fochau'n fflamio eto, gan diawlio 'Jabba' yn ddistaw bach iddo'i hun.

'Sori eto . . .' cynigiodd yn llipa. 'Dwi'n casáu hospitols.'

'Dwi rioed 'di gweld neb yn mynd o wyn i goch mor sydyn . . .' dywedodd y nyrs yn ddifyrrus, 'Heblaw pan maen nhw'n cael coronari ffêliyr.'

Chwarddodd y ddau yn sydyn.

'Oswyn Felix, jyst Felix – dwi'n rhedeg y Penrhyn Arms ym Mangor Ucha, lle ma Dyl yn gweithio.' Cynigiodd ei law iddi unwaith eto.

'Mair, Mair Fraser,' dywedodd gan afael yn ysgafn yn ei fysedd. Yna, bron yn yr un symudiad, fe drosglwyddodd ei llaw i'w ysgwydd a'i dapio, gan wneud i Felix droi wysg ei ochr. 'Ffor' 'ma mae o, dwi'm yn siŵr faint o siâp siarad sy arno fo, cofia,' meddai wrth arwain y ffordd i lawr y coridor cul. 'A dwi ddim yn meddwl y bydd o'n tynnu peint i neb am chydig.'

Gwenodd Felix, gan sylwi pa mor debyg oedd ei jôc fach at ei sylw o gyda Sioned, ynghynt.

Roedd hi'n ddeg munud wedi un cyn i Dyl Mawr agor ei lygaid, ac Oswyn wedi bod yn eistedd wrth ochr ei wely am hanner awr. Mynnodd Mair Fraser ei fod yn aros, gan awgrymu mai dim ond cat-napio oedd cleifion cwffio'n arfer ei wneud. Cafodd Oswyn gyfle i astudio'r briwiau, y pwythau a'r plaster oedd yn gorchuddio'i gyfaill. Braich dde mewn plastar hyd ei ysgwydd, ac mewn sling yn sownd wrth ffrâm ar ran ucha'r gwely. Dros ddwsin o bwythau uwchben ei lygad dde, a rhwymau di-ri rownd ei ben o dan ei ên ac o gwmpas ei ffêr, oedd wedi'i chodi ar obennydd. Roedd dwy lygad ddu ganddo, a gwefusau wedi chwyddo fel alyrjic riacsiyn i botocs, meddyliodd Felix. Roedd ei drwyn wedi chwyddo gymaint nes ei fod wedi diflannu i ffurfio un foch biws yn ymestyn o'i glust dde i'w glust chwith greithiog. Gwyddai Felix na fuasai Dyl yn meindio'r briwiau, gan fod ei oddefgarwch at boen mor uchel, ond ystyriodd wrth edrych arno'n pendwmpian yn aflonydd mai ei falchder oedd wedi derbyn y stîd galetaf.

'Ti'n gedrych yn gord shitlesh,' mwmialodd y claf a'i ddannedd wedi'u cau'n glep fel taflwr lleisiau.

'Waw, big man . . .' Dihunodd Felix o'i synfyfyrdod. 'Cysgu'n hwyr eto, ti ar y cloc ers . . .' edrychodd ar ei oriawr, '. . . deg munud.'

Gwenodd Dyl a thrio chwerthin, sylwodd Felix nad oedd gwneud i'w gyfaill chwerthin yn syniad da ar hyn o bryd, daeth onli wen ai laff i'w feddwl.

'Peth handi 'di ffrind Sioned, y nyrs . . . Mair, ia?'

'Oedd 'i faffa 'rends rinaited ma 'ora 'ma, 'di 'nghofio 'od 'i yma.'

'Be nei di, Dyl. Merchaid, jangyl siti.'

Bu distawrwydd rhyngddynt am ryw eiliad, cyfle i gael newid pwnc trafod.

'Dwi'n cymryd bod y cops 'di bod draw? Sa syniad gynno nhw pwy 'di'r ffycars ddaru neud hyn?'

Roedd Dyl yn rhyw fymryn ysgwyd ei ben hanner ffordd drwy'r holi. 'O'n i'n chmalio 'ysgu can ddoth 'w 'eiffiwr.' Winciodd Dyl gydag ymdrech boenus. 'Well cael gair e'o chgi gynta.'

Winciodd Felix yn ôl ar ei ffrind gan bwyntio'i fys ato fel gwn.

Wrth yrru allan o'r ddinas ac ymuno â'r loriau a'r ceir yn gwibio'n llawn pwrpas i'r gogledd ar yr A55, meddyliodd Felix am yr hyn roedd ei gyfaill wedi'i ddisgrifio'n boenus araf ychydig ynghynt. Roedd yn gyfarwydd â'r garej betrol bedair awr ar hugain ar bwys y ffordd i Fethesda, ac yntau wedi'i defnyddio'n aml ar y ffordd i weld Misdyr Ganja yn ei gastell llechen i fyny'r lôn llawn tyllau uwchben Rachub. Roedd rhywbeth anghyrraeddadwy'n cosi fel pry genwair yn ei ben, rhyw syniad niwlog. Syniad yr oedd o'n sicr fuasai'n profi'n ddefnyddiol i'w drip pysgota, pe bai ond yn gallu cael gafael arno.

Llid ac ynfydrwydd, dau enw i'r un diawl

GYRRODD DYL i lawr at y garej yn syth wedi cau'r Penrhyn am ugain munud i hanner nos, bu'r nos Sadwrn yn hynod, anghyffredin, o ddistaw. Roedd nodwydd tanwydd ei hen Beetle wedi bod ar goch ers dydd Iau, ond doedd Dyl mo'r gorau am wneud yr hyn oedd ei angen ar ei union. Cyrhaeddodd y pympiau am ddeng munud i hanner, a fo oedd yr unig gwsmer y tu mewn a'r tu allan i siop y garej. Wedi bwydo'r Bug 1967 glas tywyll â'r tanwydd, aeth i'r siop i dalu. Hari Co-op oedd ar ddyletswydd, un o'r Bangor ais mwya cyfarwydd i bawb yn lleol, yn dilyn achos llys diddorol yn yr wyth degau. Cafodd Dyl a Hari eu sgwrs arferol – mae hi'n drymaidd; tydi hi'n ddistaw heno; yndi, yndi – wrth ddisgwyl i'r peiriant cardiau brosesu'r taliad. Yna clywodd y ddau floedd peiriant car pwerus tu allan, a dyma nhw'n troi i weld Subaru du gyda ffenestri tywyll yn rhuo'i ffordd i mewn dan do agored y pympiau.

'Fflash ffycyr,' mwmiodd Hari, 'mae'r twat yma hyd yn oed yn gwisgo disainyr shêds, yn y nos laic, i fatshio'i dints.'

'Ti'n jocian?' atebodd Dyl. Roedd y peth mor hurt.

Cododd Hari'i aeliau a phwnio'i ben ymlaen ambell waith, cystal â dweud 'gei di weld yn y munud'. Cymerodd Dyl ei gerdyn gyda 'diolch, a hwyl Hari', cyn gadael y siop. Wrth i'r drws gau ar ei ôl, gwelodd Dyl ddau ddyn yn cerdded tuag ato mewn jîns a chrysau llewys byr du, ac yn wir, roedd yr un ar y dde yn gwisgo Aviators, drud yr olwg, yn dynn ar dop pont ei drwyn. Heb feddwl, dyma Dyl yn chwerthin yn sydyn wrth basio'r ddau.

'You what, mate?' gofynnodd Cŵl Dŵd iddo, yn ddigon uchel i wneud i Dyl droi i'w ateb, gan deimlo braidd yn euog am ei fychanu.

'Sori?'

'What you laughing for? That's what, fatman.'

Diflannodd yr euogrwydd, a dechreuodd Dyl golli'i limpyn. 'Ai was sherin a jôc widd mai mêt in dder, if iw myst no,' atebodd braidd yn llipa.

'Likely story, motherfucker,' dywedodd ffrind Cŵl Dŵd hefo acen Rhyl neu Brestatyn – Sgowsar smal.

'Lisyn cerffyli, ddis isynt South Central LA, iôr not e pêr of ganbangyrs and ai'm goin hôm biffor symwyn gets hyrt, ocê?' meddai Dyl yn glir, a'i ddwylo enfawr wedi'u hymestyn ar agor o'i flaen. Dechreuodd facio'n ôl tuag at ei gar gan ddal i wynebu'r ddau, a dyma nhw'n stopio rhythu a dechrau gwenu arno.

'Goin' down,' dywedodd Cŵl Dŵd o ryw ugain troedfedd oddi wrth Dyl, gan ddechrau brasgamu tuag ato.

O ffyc, meddyliodd Dyl gan wybod ei fod wedi gwneud camgymeriad; roedd un arall y tu cefn iddo, ac wrth droi, fel pe bai'n cadarnhau ei ofid, teimlodd sioc y glec fel ton o drydan yn cychwyn o gorun ei ben ac yn diweddu, fel pe bai disgyrchiant ei hun wedi dyblu'i bwysau, yn ei bengliniau. Plygodd ei goesau'n anfoddog, a disgynnodd i'r llawr. Yn y tywyllwch sydyn cofiodd feddwl – be ffwc ma'r boi 'ma 'di hitio fi efo . . ?

Yna anymwybyddiaeth.

Yn nes mlaen, a synnwyr yn ddechrau llifo'n ôl, ceisiodd agor ei lygaid. Roedd aer ffres, cynnes a chlir yn llenwi'i ysgyfaint. Fel bod ar lan afon ym mis Mai, meddyliodd Dyl, yn hanner breuddwydio, ac roedd rhywun yn siarad hefo fo. Doedd dim gobaith deall beth oedd yn cael ei ddweud gan fod sŵn ei anadl ei hun mor uchel yn ei glustiau. Ymhen ychydig llwyddodd i hollti'i amrannau i adael mymryn o olau glas i mewn – glas, yna gwyn, yna glas eto, gwyn, glas. Ambiwlans. Ffyc, meddyliodd. Mwgwd ocsigen. Ffyc. Llygaid wedi chwyddo ynghau. Ffyc, ffyc, ffyc. Ymdrechodd i godi, ond wedi symud ei ben ryw hanner modfedd, teimlodd boen anhygoel yn ymosod arno, fel pe bai byddin o fwyellwyr meicrosgopig yn ceisio cloddio i mewn i'w benglog. Tywyllwch . . .

Dihunodd yn yr ysbyty a dau nyrs, un yn ddyn, yn ffidlan hefo nyth nadroedd o diwbiau plastig oedd yn weindio'u ffordd i lawr o fagiau, un du ac un clir, i bwynt na allai Dyl ei weld. Un llygad oedd yn gallu agor, a honno'n boenus o anodd ei chadw'n reddfol rhag cau. Nid oedd yn gallu symud ei ben, er bod yr awydd i wneud hynny wedi mwy neu lai ei adael erbyn hyn. Ceisiodd wenu, jest er mwyn gweld os y gallai a hefyd am ei fod yn greadur cyfeillgar – ond heb lwc. Roedd croen ei wefusau wedi chwyddo fel boliau brogaod. Tynnwyd y mwgwd anadlu ers peth amser, ond sylweddolodd mai dim ond trwy ei geg a blygwyd yn gam roedd yr aer yn llifo. Trwyn 'di torri hefyd, ffyc.

'Yli Rich, ma gynno ni gwmni,' dywedodd y nyrs fenywaidd wrth wyro'i gên tuag at lygaid agored Dyl.

'Don't trai tw mwf, mêt. Iôr in Ysbyty Gwynedd an' in e bit of e stêt. Blinc twais iff iw can yndyrstand, ia?'

'Cymro 'di o, Rich; wel dwi'n gobeithio 'i fod o'n siarad Cymraeg efo enw fel Dylan Tomos, eniwê.'

Gwenodd y nyrs; roedd ganddi wyneb agored, cyfeillgar, meddyliodd Dyl, a sylwodd bod ei waled o'n agored yn ei dwylo.

'Pam? Doedd Dylan Yndyr-milc-wyd Thomas ddim yn siarad Cymraeg,' atebodd Rich.

Ffycin smart-as, meddyliodd Dyl. Penderfynodd beidio â blincio ddwywaith.

Aeth gweddill y noson heibio'n eithaf cyflym, y cyffuriau a chyffro ymweliadau Sioned a'r heddlu'n tynnu ei sylw oddi ar ei gorff clwyfedig. Yn rhyfedd, doedd o ddim mewn tymer ddrwg o gwbl, a phan ddaeth Felix draw, cafodd ei hun yn adrodd ei hanes fel petai'n rhannu atgofion am ffilm roedd wedi'i gweld. Pan adawodd Felix, newidiodd ei feddwl. Dim ond y trelar oedd o 'di'i weld, a ti byth yn cael diwedd y ffilm pan ti'n gweld y trelar.

Llawer gwir drwg ei ddywedyd

TRODD FELIX oddi ar y gylchfan a gyrru i lawr y lôn fach oedd yn arwain at y garej. Dyna lle roedd Beetle Dyl wedi'i barcio'n daclus, ar ymyl pella'r fforcort.

''Di Hari yma, mêt?' holodd y dyn ifanc y tu ôl i'r cownter.

'Hari doesn't work here anymore,' atebodd hwnnw'n undonog, heb ddiddordeb mewn cael sgwrs, ac yn ffidlan hefo'i dil, oedd yn blîpian yn siriol.

'Dw iw no enithin abowt ddy owld Bîtyl parcd awtsaid?' Gwyrodd Felix ei ben bob sut i geisio dal llygaid y llanc.

'Belongs to some drunk got taken to hospital last night; could barely walk, I was told.' Cododd ei ben wrth ddarfod ei frawddeg ac edrych heibio Felix ar ddyn mewn siwt rad oedd yn sefyll yn y ciw.

'Hw told iw ddat?'

'What?'

'Ddat hi wys drync.'

'Listen mister, there are people waiting here, do you mind?' Cododd ei aeliau a dangos cledrau'i ddwylo, ond aros yn undon ddiflas wnaeth ei lais. Symudodd Felix i'r ochr gan adael i'r siwt Ocsffam dalu am ei betrol.

Teimlodd ei rwystredigaeth yn cosi bochau'i wyneb, ac wrth iddo gyfri i ddeg penderfynodd gynnig cymhelliad i'r clerc llywath.

Disgwyliodd nes bod neb yn y siop yna daeth yn ôl at y cownter, bag o Murray Mints yn un llaw, ugain punt yn y llall. Sganiodd y cyfaill y melysion.

'One ninety-nine.'

Gwthiodd Felix y papur piws tuag ato.

'Cîp ddy tsenj.'

Cododd y llanc ei ben gan syllu'n syn. 'What do you mean, keep the change? That's a twenty.'

'Ddy lad hw got bît yp, hi wys e ffrend of main. Hw told iw hi wys drync?'

'The boss, when I got in this morning. Usually I take over from Hari, but Mister Foxham, my boss, told me Hari was history, asked me to work his shifts, 'til he got sombody else in.' Yna ategodd yn wawdlyd, 'Great.'

'Byt iôr bos wasynt in ddis sitiwesion las nait, wys e?' gofynnodd Felix, er ei fod yn gwybod yr ateb.

'Don't think he was, no.' Crychodd y llanc ei dalcen. 'Must have seen the hoo-ha on the CCTV,' ychwanegodd gan lyfnhau'r crychau.

BING-ffycin-GO! Canodd cloch ym mhen Felix, a gwyddai'n syth mai dyma oedd wedi bod yn pigo'i feddwl ar y ffordd yma o'r ysbyty. Wrth gwrs bod CCTV ar gael, a buasai Dyl siŵr Dduw o serennu arno gan fod yr ymosodiad wedi digwydd dan do'r fforcort.

'So Hari myst 'af shown him ddy têp ffrom last nait, is ddat rait?'

'Must have.'

'Wai dud Hari lîf?'

'Haven't a clue, mate. Liked nights did Hari, insomnia or something.'

'Wat abywt ddy têp, can ai si it?'

'The CCTV? Sorry, Foxham changes the tapes every Sunday. Gives us a week's supply of new ones – well, I say new, they're the ones from six weeks back, tape over old footage.'

'Diolch,' dywedodd Felix gan osod ugain punt arall dan drwyn y clerc. 'Dys Hari stil lif in ddy B an B, botym of Lyf Lên?'

'No, he's above the bookies, next door to the sports shop on the High Street.'

Ildiodd Felix ei afael ar yr ugain, cododd ei fawd, a throdd i adael y siop.

'Tell 'im he's left me in the shit, will you? Hey, mister. Don't you want your Murray Mints?'

'Bad ffor iôr tîth,' atebodd Felix gan agor ei wefusau fel ceffyl yn gweryru, a datguddio tri daint aur, y ddau flaenddant top ac un ar y gwaelod.

Nôl am Fangor, a hithau'n tynnu am dri o'r gloch, penderfynodd Felix daro llygad ar y Penrhyn, neu'n fwy penodol ar Mike Glas-ai. Roedd yn ymddiried yn Mike, ac yn ffyddiog o'i allu i ymdopi, ond ar yr un pryd roedd hefyd yn ymwybodol o'i ffaeleddau. Yn benodol, ei berthynas chwerw a blin efo'r til electronig. Roedd, meddyliodd, fel pe bai Lydait yn digwydd cael ei hun wrth lyw llong ofod. Agorodd ffenestr y Golf a dal ei law allan i deimlo'r awel gynnes, y cymylau glaw wedi cilio gan adael diwrnod crasboeth arall ar eu hôl. Rhwbiodd ei dafod rhwng ei wefusau a'i ddannedd, ei ddefnyddio fel sbwng i roi mwythau i'r gymysgfa o fetal, cnawd ac enamel. Cofiodd am y diwrnod a dreuliodd yn yr ysbyty, ar ôl cael stîd ei hun. Dim cyn waethed â'r maluriad a dderbyniodd ei gyfaill neithiwr, ond digon i droi dannedd dyn yn aur.

A ddringo yn rhy uchel, fe dyr y brigyn dano

■

PARIS 1992, ei daith o gwmpas Ewrop, Felix yn ugain mlwydd oed, newydd ddarllen *Neither Here Nor There* gan Bill Bryson, ac am gael antur tebyg i'r awdur hynaws. Roedd yn llanc llawer rhy hyderus ar y pryd, yn ymylu ar ddiniweidrwydd. Gareth John, ei gyfaill ar y daith, 'Fast Eddie' Bangor Uchaf, yn mynnu rhoi pres i lawr ar gêm o pŵl mewn tafarn eitha rŷff i lawr stryd gefn yn ardal Barbés yn y ddeunawfed *arrondissement*. Felix a Gareth wedyn yn curo un gêm ar ôl y llall drwy'r prynhawn. Y pres betio 'double or quits' yn pentyrru ar ymyl y bwrdd nes bod Felix yn dechrau teimlo'n nerfus. Roedd dros ddwy fil o ffrancs ar y bwrdd, a holl enillion y prynhawn yn gymysgfa o bapurau lliwgar gydag enwogion Ffrainc – Debussy, Delacroix a Montesquieu – yn eu hardduno. Roedd y ddau Ffrancwr yn eu siacedi lledr a'u pennau wedi'u siafio, yn cymryd y wers mewn hwyliau da, er eu colledion. Yna, toc cyn pedwar o gloch, a'r bar yn wag heblaw am y pedwar ohonynt a'r tafarnwr, ac yn dilyn prynhawn o chwerthin a gamblo gwyllt, dyma'r awyrgylch mewn amrant yn troi. Pan oedd Gareth yn gwyro i gymryd siòt, dyma'r ddau

Ffrancwr yn sgwario o'i flaen, eu gwên wedi troi'n wg lygatoer.

'Give us the money, cocksucker.'

Gan fod y prynhawn wedi'i dreulio'n wincio, chwifio dwylo a gorliwio stumiau er mwyn cyfathrebu, roedd y sioc yn amlwg ar wyneb y ddau Gymro ifanc wrth sylweddoli bod y 'Ffrancwyr' yn medru'r iaith fain, lawn cymaint â chynnwys eu bygythiad.

'Sori?' holodd Felix, er ei fod yn hollol ymwybodol o'r sefyllfa, yr aer yn drwchus gyda'r addewid o'r trais i ddod fel storom yn casglu.

'You leave ALL the money,' dywedodd cyfaill y cyntaf. 'Take your pussy friend here and fuck off.' Poerodd y rhegfeydd allan yn ddramatig gan droi'r ciw a tharo'r pen trwchus yng nghledr ei law chwith.

Yn anffodus i'r ymwelwyr, roedd y Ffrancwyr hefyd yn gwybod bod gan Gareth John – yn ogystal â'r ddwy fil o ffrancs oedd ar y bwrdd – gymaint â hynny eto ym mhoced ei jîns, a'r ddau wedi gorfod profi eu bod yn werth betio yn eu herbyn ar ddechrau'r prynhawn. Ar y pryd, doedd fawr o broblem dangos dros ddwy fil o ffrancs pan oedd y dafarn yn llawn tystion cyfeillgar a digon gonest yr olwg. Nawr, yn y gwacter unig, roedd yn amlwg mai dihirod oedd y ddau o'u blaen a'r genyn troseddol mor blaen â'r trwynau cam ar eu hwynebau.

'The money, mothe . . .'

Glaniodd pelen wen â streipen felen fel bwled ar frest y Ffrancwr, a Felix yn anelu am ei solar plecsys.

Gollyngodd y rafin ei giw ac agor ei lygaid led y pen mewn braw. Cydiodd yng nghanol ei fron gyda'i ddwy law wedi'u ffanio allan yn ddelicét. Dechreuodd sugno'n ddramatig am wynt a dyma Felix yn gwthio Gareth John i gyfeiriad y drws. Baglodd Gareth, ei geg yn agored a phrin yn deall beth oedd yn digwydd, a'i draed yn ailddarganfod eu lle ar lawr gludiog y dafarn. Erbyn i Gareth gofleidio'r drws, roedd Oswyn gam ar ei ôl a theimlodd snap ar gorun ei ben. Ffrydiodd gwaed yn ffynnon syth i lawr ei ên a'i wddf, a blas fel ceiniogau yn dod i'w geg. Cydiodd yng nghrys Gareth a'i dynnu tuag ato; agorodd ddrws y dafarn ac mewn un symudiad gwthiodd Oswyn Felix ei gyfaill allan o'r dafarn a chau'r drws â chlec ar ei ôl. Bellach roedd Felix ar ei ben ei hun yn wynebu'r gelyn.

Safai'r Ffrancwr ddeg troedfedd o'i flaen; un eiliad roedd yn llygad amlwg y goleuni, ac yna yn y cysgod, bob yn ail, fel roedd y golau uwch ei ben yn siglo'n ôl ac ymlaen. Roedd trwch ciw pŵl yn ei law, a'i flaen main wedi torri i ffwrdd wrth daro Felix. Dychmygodd Felix, am ryw reswm, fod y sialc glas o'r pigyn yn britho'i wallt.

'Myni's gon.' Cododd Felix ei ddwylo'n amddiffynnol o'i flaen. Cododd y cyfaill-pêl-felen ar ei draed gan ddefnyddio'r bwrdd pŵl i'w helpu.

'Motherfucker!' bloeddiodd, ei wythiennau'n biws ar ei dalcen, a'i ddwrn yn anelu at Felix ar flaen braich syth.

Dim gobaith rhesymegu, meddyliodd Felix; dim modd agor y drws a dianc. Ffwcio'i, meddyliodd, gan hyrddio'i ddeuddeg stôn, pen i lawr, at ganol llydan y Ffrancwr a'i trawodd ar ei ben. Tasgodd y ddau ohonynt i'r awyr am eiliad cyn gwrthdaro â'r Ffrancwr pêl-felen. Roedd y taro a'r cicio wedi cychwyn cyn iddynt lanio'n un bwndel blêr ar lawr brwnt y bar. Y tri ohonynt yn creu pecyn o symudiadau treisgar yn brathu, byseddu llygaid, a phengliniau wedi'u hanelu'n llawn bwriad at geilliau ac asennau. Roedd y ddau Ffrancwr lawn mor debygol o daro'i gilydd ag oeddynt o gysylltu ag Oswyn Felix. Yr ymosod yn frwnt a digyfaddawd, dyrnau'n llithro fel sebon oddi ar yr wynebau gwaedlyd.

Yna teimlodd Felix ei hun yn cael ei godi o faes y gad, a'i grys-t yn tynhau'n anghyfforddus o dynn yn erbyn ei bibell wynt.

'Non!' meddai'r dyn barfog oedd yn gafael yng nghefn coler crys-t Felix, mewn llais oedd yn naturiol ddwfn ac awdurdodol. Roedd ganddo fat pêl-fâs wrth ei ganol, a hwnnw wedi'i bwyntio at y ddau ysbeiliwr. Diolch i Dduw, meddyliodd Felix, ei bengliniau crynu'n fregus a'i ben yn nofio mewn adrenalin. Roedd yr holl ddigwyddiad wedi cymryd llai na dau funud, a dyma Felix, mwyaf sydyn, yn sylwi mai'r barman oedd wedi dod i'r adwy. Arhosodd y ddau Ffrancwr ar eu penolau a'u coesau'n ymestyn yn syth fel Pinocios o'u blaenau. Doedd dim golwg awydd mwy arnynt. Sythodd y barman ei fraich, gyda Felix yn ei ddwrn, a'i ryddhau â phwniad o anogaeth tuag at ddrws y dafarn. Gafaelodd Felix mewn llond dwrn o'r arian papur oddi ar y bwrdd wrth basio. Ni thynnodd y barman ei lygaid oddi ar ei gydwladwyr. Dywedodd rywbeth wrthynt yn Ffrangeg, ei lais yn chwyrnu ond heb emosiwn, fel y dychmygai Felix y buasai llew yn swnio pe bai'n gallu siarad Ffrangeg.

Cyrhaeddodd Felix handlan y drws pan ddywedodd y barman, 'Hey, Anglais.'

Trodd ei ben i edrych ar ei achubwr, gan weld y ddisg drwchus ar ben tenau'r bat pêl-fâs yn dynesu tuag at ei wyneb fel pe bai mewn ffilm *slo-mo*. Ni chafodd amser i wneud dim ond gwingo'n ddisgwylgar, gan aros gwrthdrawiad y symudol gyda'r llonydd â chlec.

'Fuck off,' dywedodd y barman, ei safle yn edmygedd Oswyn yn gostwng.

Hanner-cwympodd allan o'r bar i olau brwnt y stryd gyda chasgliad go dda o ddarnau o'i ddannedd yn gymysg â gwaed a phoer yn nesgil ei law chwith, a dyrnaid gwaedlyd o ffrancs yn y llall.

Tair ffordd y sarheir pob dyn yn y byd: o daraw, a gosawd, a dwyn trais arno

■

BUASAI WEDI BOD yn llawer rhatach rhoi'r arian i'r Ffrancwyr. Erbyn i'r deintydd ym Mharis ddarfod ei waith yn ngheg Oswyn Felix, roedd y bil yn agos at un fil ar ddeg o ffrancs ac roedd gwên fel môr-leidr gan y llanc o Gymru.

Gwelodd Oswyn lai bob blwyddyn ar Gareth John, wedi iddynt ddychwelyd, hyd nes iddynt golli nabod ar ei gilydd erbyn cyrraedd eu deg ar hugain. Ceisiodd Oswyn ddychmygu tybed beth oedd ei hen gyfaill yn ei wneud y dyddiau hyn. Gweithio i'r cyfryngau yng Nghaerdydd neu Lundain, efallai, neu'n fwy tebygol yn gwasanaethu'i gymdeithas gyfryngol gyda'u hanghenion cemegol neu berlysieuol. Bu Gareth John yn chwysu persawr mariwana ar ddiwrnodau poeth er pan oedd yn bedair ar ddeg oed.

Pan adawodd Felix y Penrhyn ddeng munud yn diweddarach, roedd yn meddwl unwaith eto am Dyl Mawr. Wedi iddo orfod ateb llif o gwestiynau gan y regiwlars am ei gyfaill, a rhoi'r twmpath o arian roedd wedi'i gasglu gan Mike wrth ochr y til i mewn yn y til, llenwodd ryw chwarter gwydraid â'r chwerw Brains cyn codi'i fraich uwch ei ben a chynnig llwncdestun i'r dwsin selog yno.

'Dyl Mawr, y bastad c'leta erioed i gael stîd gan lwyth o gachwrs dan din.'

Tair ffynnon gwybodaeth: crebwyll, ystyriaeth, a dysgeidiaeth

■

CYRHAEDDODD FELIX ganol Bangor a phenderfynu dreifio i'r maes parcio talu ac arddangos y tu ôl i Boots. Roedd y tarmac yn gwbl wag, gan ei atgoffa o lyn llonydd, a'i Golf o fel cwch sgota yn ei ganol. Nid oedd angen talu ar ddydd Sul, er na fuasai Oswyn Felix byth yn talu am barcio mewn unrhyw ddinas yn y byd. Cerddodd i lawr yr allt fer oedd yn arwain i'r Stryd Fawr. Roedd colofn cloc y Ddinas yn ei wynebu i'r chwith o ganol hirsgwar y brif rodfa siopa. Ar y chwith gyferbyn â'r obelisg cochlyd, gothig safai siop bwci William Hill. Edrychodd i fyny a sylwi, am y tro cyntaf, ar y fflatiau uwchben y rhes o siopau, banc ar y dde a thafarn y Ceffyl Gwyn ar y chwith. Roedd yr adeilad Sioraidd wedi gweld dyddiau gwell, ond wedi llwyddo i gadw'i afael ar urddas ei gyfnod, er bod ffryntiau modern y siopau yn llwyr fradychu gweledigaeth y pensaer gwreiddiol. Roedd gan y fflatiau rhwng y siopau ddrysau preifat o bren trwchus, ac eto rhyfeddai Oswyn nad oedd, yn ei dair blynedd ar ddeg yn y ddinas, wedi sylwi arnynt cyn hyn.

Wrth edrych ar y drws glas tywyll nesa at y bwci, gwelodd fod yno fynediad i bedair fflat, a phedwar botwm cloch yn cuddio yn yr alcof fas. Roedd stribedyn gwyn wrth bob botwm, a'r enwau bron â diflannu, fel petai'r sawl ddaru'u sgwennu ddefnyddio inc ysbïwr. Edrychodd Felix o'r ochr ar y papur y tu ôl i'w orchudd plastig amddiffynnol, a chymerodd eiliad i ailffocysu gydag un llygad ynghau i greu llygad meicrosgôp. 'H J es' oedd yr agosaf at Hari Co-op – fflat rhif tri.

'Digon da i fi,' dywedodd dan ei wynt, a phwyso'r botwm yn bendant, gan gadw'i fys arno am bum eiliad go lew. Disgwyliodd am ryw ugain eiliad cyn ymosod unwaith eto ar y botwm.

'Hw's ddêr?'

Clywodd fwyaf sydyn o uwch ei ben, ac er ei fod yn gwybod mai Hari oedd yn galw o'r fflat, edrychodd Felix yn reddfol o'i gwmpas, fel plentyn wedi'i ddal yn chwarae *knock-doors.*

'Hari, Oswyn Felix Penrhyn Arms.' Camodd allan fel bod Hari'n gallu'i weld, ei law wedi'i godi i gysgodi'i lygaid rhag haul canol dydd.

'O'n i'n cysgu – be ffwc tisho?' atebodd Hari, heb fod yn flin, gan rwbio huwcyn o'i lygaid.

'Ga' i ddod i fyny am air?'

'Be ti'n feddwl ffycin gair? Ffycin gair am be?

'Cymon, Hari.'

'A'reit, a'reit.' Edrychodd Hari'n ddramatig i'r dde ac yna, gan wyro allan o'r ffenest, i'r chwith i fyny'r Stryd

Fawr. Doedd neb o gwmpas heblaw am gwpwl canol oed yn gafael dwylo wrth fynd â Westi bach am dro. 'Disgwyl i fi bysio chdi fewn.'

Diflannodd Hari a chaeodd y ffenest yn glep dwl ar ei ôl. Clywodd Felix y sŵn fel gwenyn mewn potel oedd yn caniatáu iddo wthio'r drws ar agor. Camodd i mewn i goridor gwyn cul oedd yn arwain at risiau serth, gyda saeth fawr ddu wedi'i pheintio ar ongl ar y wal yn cyfeirio at i fyny, a'r rhifau 1 2 3 4 oddi tani. Gwenodd Felix ar yr arwydd gan ryfeddu bod rhywun wedi meddwl bod gwerth iddo, gan nad oedd dewis arall i'w gael. Aeth i fyny'r grisiau oedd wedi'u gorchuddio – yn wreiddiol â charped, yna gan flynyddoedd o faw, gwm cnoi, chwd a phiso. Roedd yna hefyd ddau batrwm brwnt, anwastad yn rhedeg yn gyfochrog i'w gilydd ar y waliau – cofnod o gannoedd o nosweithiau meddw lle roedd angen help llaw i ddringo. Cyrhaeddodd Felix dop y grisiau ac edrych i'r chwith i lawr y landin, dyna lle safai Hari yn nrws agored ei fflat yn ei fest a'i focsars.

'Gobeithio bod chdi ddim yn disgwyl tî an' scôwns, Felix – bytlyr's dei off.'

Cerddodd Hari'n ôl fewn i'r fflat yn crafu dandryff o'i gorun, gan adael y drws yn agored. Camodd Oswyn i mewn ar ei ôl, a chael darlun unionsyth, ystrydebol a thrist o fywyd Hari Co-op. Roedd hi'n stafell go fawr, tua deugain troedfedd o hyd ac ugain o led, wedi'i gorchuddio â charped oedd yn mynd yn debycach i'w liw pinc gwreiddiol po agosaf at y wal yr edrychai Felix;

roedd canol y llawr yn frwnt ac yn llawn tyllau sigaréts a staeniau Duw a ŵyr pa hylifon. Roedd yr ystafell wedi ei phapurwalio yn wyn plaen, a'r darnau bach pren yn ymddangos yn frech oddi tano. Gosodwyd nenfwd ffug is ar ryw adeg, a hynny'n amlwg gan fod traean ucha'r ffenestri o'r golwg lle deuai'r nenfwd i gyfarfod â'r wal ffrynt.

Doedd 'na fawr o ddodrefn yn y stafell – teledu anferth, soffa a bwrdd coffi a'i dop gwydr wedi'i fygu'n lliw brown annymunol. Arno roedd dau flwch llwch anferth, a'r rheiny wedi'u llenwi hyd at fyrlymu dros yr ymylon â chynrhon stympiau sigaréts ac yn fwy felly rotshis rôl-iôr-owns. Cymysgai ogla'r tybaco'n gyfoglyd â'r gwynt chwys stêl a ddeuai o'r bagiau du agored a lenwai dair o'r bedair cornel gan edrych fel potiau blodau gwag. Yn y bedwaredd gornel safai'r teledu arian sgrin lydan, ac amryw o declynnau chwarae meddalwedd oddi tano. Roedd dwsin neu fwy o bentyrrau taclus o DVDs a gêmau Playstation o'i gwmpas yn atgoffa Felix o drumwel Manhattan cyn i'r awyrennau ddod i ddinistrio'r tirlun am byth. Wrth fentro o amgylch cefn y soffa, camodd Felix ar ymyl rŷg lliwgar geometrig, a oedd yn amlwg yn newydd ymysg aflendid cyffredinol ei amgylchedd.

'Paid â sefyll ar y rŷg,' rhybuddiodd Hari ef, ei law allan. 'Mae 'na jans go lew y gnei di endio fyny yn William Hills.'

Camodd Felix yn ôl yn llawn gofal gan grafu'i ên a chwerthin yn ddistaw bach.

‘Ti’n planio ’bach o bi-an-î, Hari?’

‘Ten wîcs ago, reit. Dwi’n gwaith, cyfro’r deishifft. Ffôncol, William Hills. “Sorry Mr Jones, we seem to have come through to your flat whilst refurbishing our shop”.’

‘A ’dyn nhw dal heb fficsio fo?’

‘Dwi’m ’di gadael nhw ffycin fewn i ffycin fficsio fo. Dde can pê compo i fi gynta. Wyrth ê cypl o grand, be ti’n feddwl Felix?’

Cododd Felix ei sgwyddau a dangos cledrau’i ddwylo, yn fwriadol yn peidio â llefaru’i ateb er mwyn lladd y sgwrs.

‘Sôn am gyfro shiffts, ’de Hari,’ meddai Felix, ‘mae dy fêt o’r garej yn diolch i chdi am ’i adael o yn y cach. Dwi’n meddwl fod o’n gorfod cyfro dy shiffts di tan ma be ti’n galw, Foxham, yn ffeindio rhywun digon desprét i weithio naits.’

‘Hei, ma naits yn olreit, siwtio fi’n iawn.’

‘Pam ti’n cymyd yrli riteirment ta, os ti mor hoff o’r fampair awyrs?’

‘Cos dwi’n reit ffond o’r ffordd ma nghoesau’n symud hefo’n nîcaps i lle ma nhw, dyna pam. Ffycin ’el, Felix! Ti’n gwbod y sgôr efo nytars fela.’ Eisteddodd Hari ar fraich y soffa, ei gefn at Felix. ‘“Don’t talk to the cops, and don’t come back here, EVER.” Dyna ges i ar ôl iddy’ nhw stopio dywnsio ar ffycin pen Dylan. Faswn i wedi cael gwd cicin hefyd heblaw am y seciwriti glàs. Ffycin Tom ffycin Cruise.’

‘Pwy ’di’r mwfi sdar?’ gofynnodd Felix, gan eistedd yn ddwfn ar y soffa racsiog.

‘Gangstyr nymba wan. Top Gun. Fo oedd yn dishio allan yr ordyrs, warnio fi off, ti’mbo?’

‘Be? A’dd o’n edrych fatha Tom Cruise?’

‘Laic tw thinc hi did, ai. Shêds, criw cyt, jeans, t-shyrt du. Ffycin hannar nos, a cymon – blac ’n blw wil nefa dw.’

‘Oedda chdi’n nabod nhw, Hari?’

‘God’s onest, Felix, ’di gweld nhw yn y garej tua dwsin o weithia ha’ ’ma. Talu cash bob tro, feri fflash efo’r redis. Marlbro Laits, petrol, no confyrseshon. Mwy na jest boi resyrs ddo’, ti’mbo?’

‘Welis di nhw’n pigo ar rywun arall erioed?’

‘Neb llawar o gwmpas radeg yna’r nos, pawb normal yn bedi-bais.’

Gydag ymdrech cododd Felix oddi ar y soffa, ac yntau wedi suddo iddi ar ongl annisgwyl. Tynnodd oriadau ei gar o’i boced er mwyn awgrymu ei fod yn barod i adael llonydd i Hari.

‘Diolch iti, Hari, sori am ddistyrbio dy fiwti slîp.’

‘Ga’i gysgu hynny lecia i rŵan, caf. No probs, Felix, gobeithio bydd big Dyl yn well yn fuan, ia.’

Anelodd Felix am ddrws y fflat, yn jinglo’i oriadau’n ysgafn, a chododd Hari i’w hebrwng allan.

‘Un peth arall, Hari.’

‘Ia, bòs?’

‘Oedda chdi’n dal yn y garej pan ddaru Foxham fynd â’r tapia CCTV adra?’

'Oeddwn. 'Nes i ecspleinio'r sitiweshyn idda fo a bod fi'n cwitio.'

'A be ddudodd o?'

'Jest thancs y bynsh. Trio confinsio fi bod dim byd i boeni amdan. Dim fo sy'n gorod delio efo seicos ganol nos ac ista ar betrol bom masif 'run pryd, naci?'

'Pam nest ti ddim dangos y ffwtij ar y CCTV iddo fo, iddo fo gael 'u gweld nhw drosto fo'i hun?'

'Felix beibi, ai wos awt of ddêr. Nath hynna ddim croesi meddwl fi.'

'So, sut ti'n gwbod bod Foxham wedi mynd â'r tapia o 'na bore 'ma?'

'Bob dydd Sul, laic clocwyrc. Swopio'r tapia, critshyr of habit, Foxham – fel ni gyd, ei Felix?'

'Dyna ddudodd dy fêt yn y garej. Pam chafodd o ddim sbec ar y ddrama, ta?'

'Ella'i fod o, haw ddy ffyc shwd ai no?'

Penderfynodd Felix ei fod wedi sefydlu, i sicrwydd, bod y tapiau gan Foxham.

'Diolch i ti eto, Hari.' Edrychodd o'i gwmpas cyn syllu i lygaid y rhacsyn o'i flaen. 'Ddylia chdi ffeindio dynas i chdi dy hun. 'Di hawswyrc ddim yn spesialiti chdi na'di?'

Camodd Hari yn ôl i gefn y stafell a gwthio'r drws gyferbyn â'r drws ffrynt yn araf agored, gwelodd Felix wely dwbl yn yr hanner gwyll ac arno gorff noeth llanc ifanc tua ugain oed, yn cysgu ar ei gefn, mwgwd du dros ei lygaid.

'Mae o'n waeth na fi, iff iw can bilîf?' dywedodd Hari, gwên chwareus ar ei wyneb. Yn amlwg, roedd o'n gobeithio rhoi sioc iddo, ond roedd Oswyn Felix wedi bod ar y ddaear yn ddigon hir i fedru derbyn tipyn o wrywgydiaeth heb wrido fel rhyw weinidog.

'Ma 'na gwpwl o beints i chdi tu ôl i'r bar yn y Penrhyn, Hari. Wela i chdi.'

'Hei, Felix?'

Trodd hanner ffordd allan o'r fflat.

'Paid â mynd ar ôl y bois 'ma. Gif ddy têps tw ddy Old Bil.'

'Dyna dwi'n blanio neud.'

Mae yn hwyr difaru yn ôl i'r ffagl gynnu

■

UN CAM AR Y TRO, meddyliodd Felix wrth adael y maes parcio. Nid oedd yn fodlon gyda'i waith ditectif hyd yma. Roedd Dyl Mawr wedi cael ei guro'n ffiaidd gan haid o lwfrgwn, a gwyddai os na allai roi prawf i'r heddlu o'r hyn ddigwyddodd y byddant yn siŵr o'i anwybyddu ac ystyried y cyfan fel achos o ymrafael meddwol. Gwyddai o brofiad fod bosus bron byth yn gwirfoddoli eu cyfeiriadau i'w staff, felly ni ofynnodd i Hari ble y gallai ddod o hyd i Foxham. Yn hytrach, wrth gerdded at ei gar, ffoniodd 118 118 ar ei fobeil a darganfod mai un Foxham yn unig yng ngogledd-orllewin Cymru oedd wedi cofrestru'i rif ffôn. Menai Lodge, Lower Bangor Street, Menai Bridge. Dim yn bell o gwbl, a braf fyddai ymweld ag un o ardaloedd iachusol y fro ar ôl bod yng nghwt mochyn Hari Co-op.

Gyrrodd heibio'r orsaf ac i fyny'r allt hir am Fangor Uchaf; roedd y strydoedd yn wag, a phrin dim traffig yn unman. Wrth basio'i dafarn roedd yn falch o weld bod y drws yn dal ar agor, a gwyddai o sylwi ar y prysurdeb oddi mewn y byddai bwndel arall o bres yn aros am ei sylw wrth ymyl y til pan âi'n ôl yno. Gyrru

’mlaen am Borthaethwy, ffenest y gyrrwr ar agor led y pen, ogla’r Fenai ar ei lleiaf persawrus, gyda’r llanw allan, yn drwchus ar yr awel. Gwell hyn na chau’r ffenest a rhostio. Wrth yrru dros Bont Menai, ac olwynion ei gar yn gwneud twrw rhwygo fel selotêp ar y tarmac poeth, cysidrodd Felix a fyddai’n ddoethach i beidio ag ymweld â Foxham, ond yn hytrach gyfeirio’r heddlu’n uniongyrchol tuag ato. Penderfynodd fod arno angen gweld yr ymosodiad drosto’i hun, er mwyn cael y darlun llawn, cyn cyflwyno’r tâp CCTV i’r heddlu.

Roedd Stryd Bangor Isaf wedi’i lleoli ar lan y Fenai, gyda gweddill tref fach Porthaethwy ar y bryn uwchben a’r tu ôl iddi. Pan oedd Shepp y ci defaid yn fyw, roedd y lôn fach ddistaw hon yn rhan o’i hoff daith wrth fynd am dro. Gwenodd Felix wrth gofio sawl tro roedd wedi egluro, wrth i’r ci hoffus dderbyn mwythau gan ferchaid canol oed neu hŷn, mai Shepp gyda dwy ‘p’ oedd ei gyfaill pedair coes, wedi’i enwi ar ôl y cerddor jazz enwog, Archie Shepp. Yn aml dyna fyddai terfyn unrhyw sgwrs, a’r sawl a holodd yn mynd ar ei ffordd gan edrych yn ddrwgdybus dros ei ysgwydd ar Oswyn, ac yntau yn ei dro yn chwifio’i law yn or-frwdfrydig ac yn gwenu’n hurt arnynt. Penderfynodd anelu am faes parcio’r cyngor lle’r arferai gychwyn cerdded gyda Shepp drwy goedwig gyhoeddus y dref fechan uwchben Ynys yr Eglwys. Cerddodd ar hyd y llwybr drwy’r goedwig i lawr o’r maes i’r rhodfa a oedd, yn ei thro, yn ymuno â’r sarn fer o’r ynys fynwentol ac ymlaen ar hyd glan y

Fenai. Gyda'r goedwig yn dringo tua'r chwith, y Fenai'n araf ymlwybro ar ei ochr dde, a'r eglwys a'i mynwent dwt yn olygfa hyfryd o'i flaen, meddyliodd Oswyn pa mor hyfryd oedd cael crwydro mewn tirlun mor dlws. Heblaw am y baw ci, a chaniau Tennents Extra, y pornograffi ar lawr ym mhobman, a'r fflashyrs oedd yn llechu yn y coed yn achlysurol. Perffaith.

Cerddodd y rhodfa nes cyrraedd lôn Stryd Bangor Isaf heb weld yr un enaid byw. Dilynodd y lôn gul yn erbyn llif llanw isel ond pwerus y Fenai gyda'i phyllau tro hudolus, peryglus. Aeth o dan y bont y gyrrodd drosti ychydig ynghynt gan ddod i olwg y cyntaf o'r tai drudfawr i'r chwith uwchben y lôn. Er bod blwyddyn ers iddo gladdu Shepp ar fferm ei ewythr yng Nghricieth, a sbel o dro cyn hynny ers iddo fod yma, doedd dim i'w weld wedi newid ar y ffordd o gylch gwaelod y Borth. Roedd meddwl am Shepp yn dal i godi'r felan ar Felix, er eu holl amseroedd da. Bu'n gofalu am dri o gŵn yn ei amser, gan alaru eu marwolaethau lawn cymaint ag am unrhyw berson.

Cymerodd sylw o enwau'r tai Fictoraidd neu Sioraidd wrth frasgamu ar hyd y lôn a chofio ei bod yn diweddu wrth y Liverpool Arms, tua phum can metr i ffwrdd. Dechreuodd ambell adeilad ddod i'r golwg ar y dde ar bwys y Fenai wrth i'r lôn godi fesul tipyn a chrwydro i mewn am y dref. Doedd dim golwg o Menai Lodge. Gallai Felix weld y dafarn o'i flaen erbyn hyn, ac roedd y rhes tai yn prysur ddod i ben. Dechreuodd ddiawlio'i hun am fethu ei darged. Yna, wrth i'r tai ar y chwith droi'n gytiau a iardiau cychod, gwelodd o'i flaen ar y dde wal garreg chwe throedfedd o uchder. Rhedai hon mewn hanner cylch o gwmpas bryn creigiog a gwyddai, er na allai ei weld, fod un o dai mwyaf y Borth yn sefyll arno. Wrth ochr y ddôr bren wedi'i pheintio'n wyn roedd arwydd llechen ac arno ddau air mewn llythrennau art deco:

MENAI LODGE

Gwenodd Felix wrth sylwi mai hwn oedd yr unig dŷ ar y Fenai y byddai'n rhoi ei ffortiwn, pe byddai ganddo un, am fyw ynddo. Roedd hyd yn oed wedi dyfeisio'r daith gerdded gyda Shepp o gwmpas ei awydd i fod yn berchennog ar y tŷ. Roedd yno banel dur di-staen gyda botwm a gril i arbed y sbîcyr. Pwysodd y botwm, ac am yr eildro y diwrnod hwnnw cysidrodd tybed a oedd am gael ateb i'w gais. Sylwodd hefyd ar y bwlch cymdeithasol rhwng lleoliad cloch drws y gwas a drws y meistr.

O berfedd y panel, daeth twrw fel bag creision llawn yn cael ei wasgu, yna llais fel pe bai rhywun yn dal ei drwyn.

'Hello, state your business.'

'Misdyr Foxham, mai nêm is Oswyn Felix, lanlord of ddy Penrhyn Arms in Ypyr Bangor.' Gadawodd pethau fel yna am y tro i geisio cael gwell syniad o gymeriad Foxham wrth orfodi hwnnw i ymateb i'w gyflwyniad.

'I know of it, never been there. State your business, Mr Felix.' Dim byd cas yn ei lais; dyn di-lol.

'Ai'd raddyr not awt hîr, iff iw down't maind, Misdyr Foxham.'

Sŵn y creision eto, yna distawrwydd ac Oswyn yn sefyll yno'n syllu'n syn ar y bocs bach metal. Cerddodd hen ledi heibio yn ei dillad dydd Sul gorau.

'Helo,' meddai Felix gan wenu arni. Ni chafodd ateb heblaw edrychiad oedd cystal ag awgrymu bod Oswyn Felix yno i wneud drygioni a dim byd llai, a'i bod hi 'di cael golwg fanwl arno pe bai'n ymddangos ar *Crimewatch* fis nesa.

'Neis iawn, diolch yn fawr,' meddai dan ei wynt.

Wrth iddo ddechrau amau bod Foxham wedi mynd, daeth y sŵn crensian eto.

'Disgwyl nes bod y cŵn yn cyrraedd, cym in wen ddy byz sawnds.'

Cymerodd Felix eiliad i brosesu bod Foxham yn Gymraeg, ac yna 'y cŵn yn cyrraedd' – ymadrodd od ar y diawl, meddyliodd, nad oedd o reidrwydd yn argoeli'n dda.

Camodd Felix yn ôl i edrych a allai weld unrhyw weithgarwch dros y wal. Ond ar yr adeg hon o'r flwyddyn, a'r ardd aeddfed ar ei hanterth, roedd hyd yn oed y tŷ wedi'i guddio gan dyfiant egsotig o goed dwyreiniol a gwrychoedd lliwgar. Yna o ben y boncyn lle cofiai Felix, o weld y tŷ yn y gaeaf, roedd y feranda, daeth sŵn côr o gyfarth fel dryllau'n cael eu tanio o dan ddŵr, a'r sŵn hwnnw'n agosáu wrth deithio drwy'r gerddi ar wib i lawr y bryn amdano.

Grêt, meddyliodd Felix.

Ym mhob clwyf mae perygl

GOSODODD Y TÂP yn y peiriant Sharp VHS, un o'r ychydig ddarnau o galedwedd roedd Felix yn cofio'i brynu ac a'i siomodd yn gyson ers hynny. Prin iawn oedd o ddefnydd iddo ers dyrchafu i'r Panasonic DVD-R. Roedd wedi tynnu'r tab bach du oddi ar ymyl y tâp er mwyn rhwystro unrhyw un rhag recordio drosto ar ddamwain. Pwysodd stop ar y peiriant gan ei fod yn cychwyn chwarae yn syth heb y tab du. Oedodd Felix am ychydig. Doedd o ddim yn barod i'w wylio eto, a llechai rhyw nerfusrwydd anghyffredin yn gorwynt llwglyd yng ngwaelod ei stumog. Aeth i'r gegin a dychwelyd gyda gwydryn i yfed wisgi, ei waelod yn hanner modfedd o drwch, a'r ymylon yn llyfn a thenau. Tywalltodd ddau fys o Oban iddo ac wedi llyncu un ohonynt pwysodd *Play*.

Ddeng munud yn ddiweddarach, a'r bys arall wedi diflannu, eisteddodd Oswyn Felix â dagrau yn ei lygaid yn syllu ar gorff diymadferth ei ffrind ar y llawr tarmac. Roedd cloc y tâp yn rhedeg, 00.14.57 . . . 58 . . . 59 yng nghornel chwith y sgrin. Roedd wedi dychryn a chael ei gythruddo gan ffyrnigrwydd a diffyg trugaredd yr ymosodiad, y tri udfil yn dawnsio a chlapio o'i gwmpas, yn chwarae gyda'u hysglyfaeth. Aeth un o'r ymosodwyr o'r golwg am ychydig cyn dychwelyd gyda photel yn ei law. Stwffiodd y botel i geg Dyl a'i dal yno nes i gorff anferth ei ffrind ddechrau hercian yn wyllt.

'Neith hyn mo'r tro,' sgyrnygodd Oswyn drwy'i ddannedd. Rhwbiodd ei lygaid gyda thorch ei lawes. 'Dim ffycin ffiars o beryg.'

Magu chwil ym mynwes

WYTHNOS YN DDIWEDDARACH, roedd y glaw, y sdiwdants a Dyl Mawr yn dal heb ddychwelyd i Fangor Uchaf. Eisteddodd Oswyn Felix ar ochr y cwsmer i'w far yn y Penrhyn, smôc heb ei chynnau yn ei law, a pheint o Guinness o'i flaen. Safai Mike Glas-ai yn y bwlch lle roedd darn o'r bar wedi'i godi fel pont.

'Byc yp, Felix, ffor ffycs sêcs. Tania'r ffag 'na neu rho hi 'nôl yn y bocs, neu sticia hi fyny dy din neu rwbath,' dywedodd Mike gyda'i un llygad iawn yn edrych ar ei ffrind a'r llall fel pe bai'n edrych ar y cnau ym mhen draw'r bar.

Roedd hi'n chwech o'r gloch, newydd droi, ar nos Lun a chydig ddyrneidiau o gwsmeriaid yn unig oedd yn y Penrhyn. Doedd neb ar frys i feddwi heno.

'Ti'n gwbod be, Mike?' meddai Felix yn araf a phwyllog. 'Dwi ddim yn meddwl bod y cops yn mynd i symud ar y bois 'ma.'

'Hi spîcs! Croeso 'nôl. Dyna dy gonclwshyn di, ia Shyrloc? 'Swn ni 'di medru deud hynna 'tha chdi wsnos yn ôl.'

'Na, dwi'n dallt bod y Copars 'ma'n iwsles, yn ddiog ac yn methu dal annwyd ond ma hyn yn wahanol.'

'Be ti'n feddwl?'

'Wel, ti'n cofio'r reipist 'na oedd o gwmpas y lle tua dwy flynadd 'nôl? A fi'n ffonio'r polîs pan ddoth y boi 'run sbit â'r poster i fewn ryw noson?'

'Ia, a'r Copar ifanc 'na'n cyrraedd fel oedd y boi yn gadael ac yn dal y drws ar agor idda fo.'

'Hanner awr ar ôl i fi ffonio.'

'Ia, felly?'

'Nath nhw ddal y boi y noson honno 'run fath, taflu pawb a phopeth at y peth. Roedd y lle 'ma'n berwi efo sbeshal bransh, iwnifforms, CID. Ffycin Mylder a Scyli cyn bellad â dwi'n gwbod. Bron na bod chdi'n clywad blydhawnds yn udo o gwmpas Bangor Ucha.'

'Hawnds of ddy Bascyrfils. Awwww,' udodd Mike.

Syllodd Felix arno'n ddifynegiant gan ddeall bod Mike yn hoff o lynu at thema.

'Sori, ia. Be 'di dy bwynt di?'

'Pan ma nhw'n cael sniff ar risýlt, slamdync fel 'na, ma nhw wrth eu bodda. Job dýn.'

'Ia?'

'Dyna be oedd y tâp CCTV. Slamdync.'

'Be ti'n feddwl? Bod nhw heb riactio'n iawn?'

'Dwi jest yn meddwl bod rwbath yn ffishi. Does 'na ddim ffŷs, neb yn gofyn cwestiynau. 'Di'r cops ddim 'di holi fi, er enghraifft, ers i mi roi'r tâp iddy' nhw, dim byd yn y papur, dim arests. Nada. Zip. Zilch. Zero.' Plygodd Felix y sigarét yn araf nes iddi dorri yn ei hanner, yna rhoddodd y darnau yn y blwch llwch. 'Ffyc it, Mike.

Dwi'n mynd i'w gweld nhw, os nad ydyn nhw'n dod i ngweld i.'

'Chei di ddim byd allan ohonyn nhw, 'sdi.'

Cododd oddi ar ei stôl.

'Sori am y ffag,' meddai, gan gipio goriadau'r Golf a mynd allan o'r Penrhyn Arms i wres gyda'r nos.

Ammhau pob anwybod

'FFYCIN COPARS,' dywedodd Felix, wrth eistedd ar yr un stôl hanner awr yn ddiweddarach. 'Ffycin ffycars ffycin corypt.'

'Na, ti rioed yn deud?' Doedd Mike heb symud ond unwaith, a hynny i dywallt peint i Burgess.

'Mae ngwaed i'n berwi, yn-by-ffycin-lîfybyl.'

'Ga' i gesio. Insyffishynt efidens? Cânt discys an opyn cês? Dwi'n agos?'

'Deg ffycin gwaith gwaeth, Mike. Yn-by-ffycin . . . Dwi'n methu coelio'r peth.'

'Go-won ta, be 'gwyddodd?'

'Gerddish i fewn, a gofyn i'r Sarjant am ga'l gweld rhywun amdan achos Dyl. Dyma'r CID wancar 'ma'n cyrradd a deud, "Sorry Mr Felix, but the CCTV tape you brought in was blank, nothing on it." A finna'n sefyll yna'n gegagored, dyma fo'n gofyn, "Did you leave it on something with a magnet in it, maybe?" Ti'n coelio'u bod nhw mor jîclyd?'

'Oedd gynno fo boint, ella?'

'Mike, newydd edrych ar y thing oeddwn i, deg munud cyn handio fo i fewn, a does 'na'm magnet ar sêt pasinjyr y Golff, nagoes?'

'Gwd point, jyst tsiecio.'

'Pam fysa nhw'n chwalu'r tâp? 'Di o'm yn gneud sens! Roedd digon ar y tâp 'na i roi'r weidboys 'na yn y jêl am thri tw ffaif.'

'Ti 'di ateb dy gwestiwn dy hun, Felix bach – mae o'n ofiys bod rhywun yn cîn uffernol bod hynna ddim yn digwydd. Un ai ar y lefel isa, dodji bobi . . .' Agorodd Mike un o'i ddyrnau a dangos cledr ei law, 'Neu yn top lefyl, bod un o'r bois 'ma'n gopar, neu'n infformar, neu'n bod nhw'n rhan o opyrêshon fwy?' Daliai ei ddwy law'n agored o'i flaen gan edrych fel petai'n dynwared Ffrancwr anfodlon.

'Ia, ella bod chdi'n agos ati efo un o'r rheina, ond dwi'm yn gallu gadael i hyn fynd. Ti'm yn rhoi ffrind i fi'n yr hospitol heb bod o'n ffeit deg a disgwyl cael anghofio amdan y peth. Ma'r bois 'na'n mynd i sylwi bod nhw 'di gneud mistêc mwya'u bywydau nos Sadwrn dwytha, dwi'n gaddo hynna i chdi rŵan Mike.'

Roedd y cloriau'n drwm dros hanner llygaid Oswyn a'i gyhyrau'n gwingo fel nadroedd mewn sach yn ei gilfochau.

'Os ti isho mynd ar ôl hogia sy'n cael 'u protectio gan y pow-lîs mewn rhyw ffordd, rhaid i chdi gael dy ddau lygad yn llydan gorad – now pyn intendud – a rhaid i chdi ga'l help siriys, hogia calad dwi'n siarad amdan Felix. Hefi-mob.'

'Ma'r boi cleta dwi'n nabod yn yr ysbyty, a ma Rich ddy bocsyr bach heibio'i ora.'

'Ac yn laiybiliti,' ychwanegodd Mike.

'Ydi.' Chwarddodd Felix yn fyr. 'Roedd o'n fwy tebygol o neud petha'n waeth 'nôl pan oedd o'n comynwelth tshampion. Rŵan ella byswn i'n y jêl, nhw'n yr amlosgfa, a hanner copars stesion Bangor yn Ysbyty Gwynedd – ond mi fasa Rich fel ffan tefflon, waeth ots ffaint o gach sy'n 'i daro fo, sa'm byd yn sticio.'

'Dos i weld Steptoe,' meddai Mike.

'Pwy?'

'Ti'mbo, y seconhand saico. Gwylod Hai Strît.'

'Y jyncsiop 'na lawr heibio Cob?'

'Ia, ma'r boi 'na'n gwbod mwy am yr yndyrwyld na'r ffycin Grîcs.'

'Pam fysa fo'n helpu fi?'

'Ma'r boi'n casáu Copars. Ma 'na un yn dod i'w weld o bob wthnos ac yn cael gwd lwc rownd, cael sgwrs bach efo Steptoe, ti'mbo, "Ma 'i'n braf, distaw yn dre . . . iada, iada, iada." Wedyn ma' Steptoe'n agor y til ac yn rhoi ffiffti cwid ar y cownter ac ma'r copar yn gadal llonydd i'r shitlôds o dodji stoc sy'n llenwi'r Aladin Stôrs.' Tynnodd Mike lond ysgyfaint o fwg sigarét cyn ychwanegu, 'Fasa talu rhyw ddau gan punt idda fo'n gneud dim drwg chwaith.'

'Dyna be sy'n rong efo cymdeithas heddiw, Mike . . . ma'r jyncis a'r crims yn robio ni, ma'r rafin ffens wedyn yn talu ffracsiwn y gwerth am y gêr i'r jyncis a'r crims. A dyma plod yn dŵad ac yn sgimio'i siâr yn lle restio rhywun. Wedyn 'da ni, y werin bobl, yn mynd at Steptoe a'i fath ac yn prynu'n stwff ni'n hunan yn ôl am haff prais.'

'Byd fel'na ydi o, Felix, be 'nei di?'

Gwyddai Felix fod Mike yn gwenu rywle tu ôl i'r llen mwg oedd yn gorchuddio'i wyneb. 'Steptoe, ti'n deud?' gofynnodd Felix.

'Da, da, di-da di-da, da, da, di-da di-da, di daaaa-di, da . . . rattatata,' canodd Mike Glas-ai.

Ac yna mi a ddeffroais

Doedd Oswyn Felix ddim wedi bod yn cysgu'n dda ers i Dyl Mawr gael ei roi ar Ward Ogwen. Roedd y gwres llethol yn un ffactor, ac un gynfasen gotwm yn unig yn arbed ei noethni rhag y gwyll, ond ymhen dim roedd y cotwm yn wlyb o chwys wrth iddo droi a throsi mewn breuddwydion annymunol. Pan ddeffrai wedyn o'i hanner cwsg rhyfeddol o sinematig, synhwyrai fod rhywbeth yn torri ar draws ei lonyddwch, fel pe bai ei gydwybod yn ei boeni. Roedd ei feddwl aflonydd yn aml yn cyfyngu ar ei gwsg. Ers ei blentyndod, teimlai'r nos yn hir a chythryblus i'r anffyddiwr, gyda'i ddychymyg llethol, ac ofn enbyd am ei ddiwrnod terfynol ar y ddaear. Wrth iddo aeddfedu, dysgodd ddygymod â'r tywyllwch eneidiol diwaelod hwn, heb fyth lwyddo i'w alltudio'n llwyr o'i feddwl.

Penderfynodd, felly, godi ar y bore Mawrth hwnnw fel roedd yr haul yn cychwyn ar ei waith, ei olau'n llenwi ffenest ei fflat uwchben y Penrhyn. Ugain munud i bump, a thywalltodd ddŵr poeth i mewn i'r caffitiêr, i gynhesu'r gwydr. Eisteddodd yn ei gadair ledr gyfforddus – cadair oedd wedi treulio dros y degawdau i ffitio siâp corff Felix. A chan fod y gadair yn wynebu'r ffenest, cododd ei draed ar y sil. Meddyliodd am yr hyn roedd Steptoe wedi'i ddweud wrtho y noson cynt, gan geisio pwyso a mesur y dewisiadau. Os oedd hanner beth oedd Steptoe wedi'i ddweud yn gywir, roedd talcen caled yn wynebu Oswyn Felix. Byddai'n rhaid iddo fod yn glyfar, yn gywir ac yn lwcus os oedd am ddial am y cam a gafodd Dyl Mawr. Edrychodd drwy'r ffenest dros doeau Bangor Uchaf a chynfas glas diddiwedd diwrnod arall o haf. Syllai mor daer nes bod patrymau, fel nadroedd yn gwingo, yn cynnig eu hunain iddo ar yr awyr undonog.

Ni rown ni garai o groen chwannen am dy gynghor

■

MEDDYLIODD SUT yn y byd roedd Steptoe wedi llwyddo i gadw allan o'r llysoedd barn, gan fod ei Aladdin Stores yn amlwg yn drewi o ddrwgweithredu. Pan adawodd Steptoe ef i mewn neithiwr am chwarter wedi saith, a'r siop wedi cau, canfyddodd ei hun yn gwrido wrth weld pa mor amlwg oedd y fenter. Roedd y silffoedd pîn yn llythrennol yn gwegian dan bwysau'r ysbail – silffoedd oedd yn ymestyn o'r llawr i'r nenfwd, ar hyd waliau'r siop fawr, a dwy res debyg yng nghanol y llawr concrid, oedd wedi'i beintio mewn lliw rhuddgoch diwydiannol.

'Dos drwodd i'r cefn,' dywedodd y styllen o ddyn mewn llais anaddas o isel, gan ddefnyddio'i ddwy law i wahanu'i wallt hir melyn oedd yn hongian fel cyrtan dros ei wyneb. Roedd y sbectol John Lennon a'r lensys cryfion, ynghyd â'i drwyn mawr Rhufeinig a'i geg ddiwefus fechan, yn gwneud i Steptoe edrych fel tylluan – un a oedd, efallai, meddyliodd Felix, wedi colli'i ffordd wrth hedfan adref o Woodstock.

'Ma'n edrych yn debyg 'na grafiti sy'n ennill y frwydr yn fama,' dywedodd Felix gan gydio yng nghanol bwa un o'r silffoedd.

'Fi nath bildio nhw, dim digon o syport slats, sypôs.'

'Gin ti fwy o stoc na Tesco, Rhodri.' Dyma'r enw gynigiodd Steptoe iddo ar ôl iddo gyflwyno'i hun wrth ddrws y siop.

'Ma chwartar y stwff yn dod o Tesco, 'swn i'n deud.'

'Ma' chwartar bob dim yn dod o Tesco,' atebodd Felix.

'Ti'm yn rong yn fanna, Felix. Felix ddy Cat oeddan nhw'n galw chdi gwmpas dre 'ma stalwm, ia da'?'

'Bac in ddy dê, cyn i penglinia fi fynd.'

'Oeddach chdi'n gôli i Bangor Siti am chydig, dwi'n iawn?'

'Rhodri bach, saith gêm, deg gôl yn y net. Dwi'n meddwl 'na nicnêm eironig oedd hwnna.'

'Dwi'n fwy o foi rygbi fy hun, so 'swn i'm callach.' Roedd Steptoe'n llusgo'i draed mewn fflip-fflops pinc ac yn siarad dros ei ysgwydd â Felix cyn cyrraedd gwaelod grisiau yng nghefn yr ystafell. 'Ty'd, ewn ni fyny.'

Roedd y grisiau'n llydan ac yn troi chwarter cylch ar ei hanner cyn esgyn i ail hanner ymerodraeth yr hipi o gwdi-hŵ. Roedd yr ystafell hon hyd yn oed yn llawnach na'r llawr islaw. Yr unig wahaniaeth oedd mai dyma le y pethau bychain – cryno-ddisgiau, sebonau, teganau, tlysau ac addurniadau o bob math. Does ryfedd, meddyliodd Oswyn, ei fod o'n gorfod talu'r glas i anwybyddu 374 Stryd Fawr, Bangor.

Roedd un wal fechan i'r chwith i dop y grisiau yn noeth, heb hyd yn oed ei phlastro, gyda drws newydd a'i glo Yale yn sgleinio'n arian.

'Cym thrw tw mai offis,' dywedodd Steptoe gan wahodd Felix drwy'r drws â'i fraich dde.

Yno gwelodd fod y wal bared yn gwahanu tua thraean o'r llawr cyntaf oddi wrth y siop, a chan fod yr ystafell bron yn wag, roedd yn amlwg mai newydd gychwyn ar y gwaith roedd Steptoe.

'Be 'di hwn, y minimalist lwc, ia?' meddai Felix.

'Y – dwi'n trio gneud pob dim fy hun ac yn uffernol o slo oherwydd bo' fi ddim yn saer coed na'n fildar – lwc ydio, actiwli.'

'Ma'r wal 'ma i weld yn o lew am di-ai-wai job,' dywedodd Felix gan gnocio ar y pared â migwrn ei law.

'Dwi'm yn edrych ymlaen at y plastro – ella fysa'n well talu rhywun i neud y gwaith, be ti'n feddwl?'

'Job i broffesiynal ydi plastro, angen blynyddoedd o bractis cyn bo' chdi'n enigwd. Dyna faswn i'n ddeud, beth bynnag.'

'Chdi sy'n iawn, chdi sy'n iawn. Un peth 'di bod yn ofalus efo dy bres, peth arall 'di bod yn gybydd styfnig. Be alla i neud i chdi, Oswyn Felix o Bangor – strôc Beferli Hils – Ucha?' dywedodd Steptoe gan osod ei ben ôl esgyrnog ar silff ffenest â'i gwydr wedi'i beintio'n wyn fel ei ffrâm i gadw llygaid chwilfrydig rhag busnesu. Taniodd roli oedd wedi bod yn llechu'n wyrthiol, ar ei hanner, yn ochr ei geg ers i Oswyn daro'i olwg arno gynta.

'Fel sonish i ar y ffôn, Mike oedd yn awgrymu mai chdi oedd y go-tw-gai os am chydig o inffo – arbenigol, dduda i.'

‘’Di hyn wbath i neud efo dy barman di’n cael ’i beintio’n goch a phiws wsos dwytha?’

‘Ffycin ’el, be ’di’r dywediad, “Cymru fach”, ia?’

‘Ai. Boi poblogaidd, y barman ’na, lot o ffrindia rownd dre.’

‘Dylan. Dyl Mawr i’w ffrindia.’

‘Ddat’s ddy wan.’

‘Dyma’r sefyllfa, Rhodri. Ma ’na rwbath yn drewi efo’r copars yn Bangor ’ma. ’Nes i handio tâp CCTV o’r ffycin stîd brwnt i’r stesion, diwrnod ar ôl yr asylt . . .’

‘A gad fi gesio, ma’r efidyns wedi diflannu.’

‘O na, ma’r tâp gynno nhw, ond ma’r ffycin thing yn blanc. Medda nhw.’

‘Ocê, isda lawr.’ Roedd Steptoe’n pwyntio at gadair gampio oedd wedi’i phlygu ynghau ac yn pwyso ar y wal bared wrth ochr Felix. ‘Na’i ddeud stori wrtha chdi.’

Cydiodd Felix yn y gadair a’i hagor yn sgwâr, cyn suddo’n gyfforddus i’w defnydd rhwyd. Amneidiodd i Steptoe a chodi’i aeliau i gadarnhau ei fod yn barod i wrando.

‘Fel hyn ma petha’n gweithio yn Bangor ’ma,’ dechreuodd Steptoe. ‘Ella bod y rhan fwya o bwysigion a thrigolion parchus y ddinas ’ma’n gwbl oblifiys i’r drefn, ond fel hyn y ma hi.’ Tynnodd y stwmpan sigarét leiaf welodd Felix erioed allan o’i geg fain a’i gosod, fel pe bai am ddychwelyd ati, yn daclus ar y sil ffenest. ‘Os ydi’r cops isho dal y dyn drwg, does ’na uffar o ddim byd yn mynd i’w stopio nhw. Ma’n practicali amhosib cael getawê efo unrhyw brêcing of ddy lô. Fforensics, DNA, snitshis. Dwi'n gwbod am ddau yndyrcyfyr, un yn smalio bod yn jynci *Big Issue* selyr. Fel ma hannar pobol Bangor yn gwbod, dwi'n gwerthu mwy o nocoff na ffycin eBay, ond dwi'n cael llonydd. Pam?'

Cododd Felix ei ysgwyddau fymryn, smalio nad oedd ganddo syniad.

'Am bod fi'n talu fewn i'r ynoffishal Bangor steshon ritaiyrment ffynd. Bron i bymthag grand y flwyddyn, cofia, dim marblis a ffycin bytyma. Siriys contribiwshyn. Pres dwi ddim yn diclêrio i'r tacsman ydi o maind, fel 'na dwi'n edrych arno fo, neu fyswn i'n crio fy hun i gysgu bob nos.' Dyma fo'n ystyn botel chwart o Famous Grouse o'i boced gefn a'i chynnig i Felix.

Ysgydwodd Felix ei ben ryw fymryn – roedd Mike Glas-ai wedi sôn bod problem yfed gan y dihiryn main. Heb oedi, cymerodd Steptoe lymaid sydyn cyn i'r botel ddiflannu'n ôl i'w boced.

P'run oedd agosaf ati? meddyliodd Felix. Mike Glas-ai hefo'i gil-dwrn o hanner canpunt yr wythnos, ynteu datganiad rhyfeddol Steptoe o lwgrwobr bron i chwe gwaith gymaint.

'Tydyn nhw i gyd ddim yn chwarae'r gêm, coelia neu beidio – ma 'na dipyn go lew ohonyn nhw'n rîl pow-lîs, fel ma'r Iancs yn deud. So ma rhaid bod yn ecstra ofalus efo'r rheini.'

'Pam dy'n nhw ddim yn bystio chdi, ta?' gofynnodd Felix.

'Am bod fy ffrindia d'ylo blewog i'n deud wrth y glas sy'n waityr ddan wait, mai infformar ydw i. Werth o iddy' nhw edrych ffordd arall, er mwyn dal ffish mwy. Capish?'

'Dwi efo chdi.'

'Tydi'r giang 'ma sy 'di aildrefnu ffîtshyrs dy fêt ddim yn poeni dim am y peth, am un rheswm, ac un rheswm yn unig.' Estynnodd Steptoe ei law o'i flaen gan wahodd Oswyn i ateb.

'Am bod y polîs ddim isho'u dal nhw?'

'Corectamwndo Cimosabi. Dwn i ddim pam eto, na'i ffeindio allan, paid â phoeni. Fel deudais i gynna, os 'di'r cops isho restio chdi, ma nhw'n gneud.'

'Ti'n gwbod rhywbath am y bois 'ma?'

'Ma nhw'n eitha newydd i'r ardal; ma nhw ar fy rêdar i, ond dim ond jest. Dwi ar ddallt bod nhw'n shifftio gêr – côc a heroin yn bennaf, chydig o î's a spîd, yn pỳbs y pentrefi rownd Bangor, ti'mbo, Pesda, Menai Bridge, Felinheli. Testio'r dŵr, dwi'm yn ama. Ddim isho dod syth fewn i'r ddinas a sathru bodia unrhyw bigbois.'

'Call iawn, am wn i,' dywedodd Felix. 'Ydio 'di setio off alarm bels unrhyw gangstyrs o gwmpas dre 'ma?'

''Di drygs erioed 'di bod yn 'wbath dwi 'di cymryd diddordeb ynddo fo, ar lefel broffesiynol beth bynnag. O be dwi'n ddallt, Lerpwl sy'n contrôlio narcotics y Gogledd 'ma i gyd. Felly ma hi 'di bod ers y saithdega, a neb erioed wedi trio myslo fewn.'

'So, ti'n meddwl bod y twats yma'n meddwl cymryd y Scaws Mob ymlaen? Swnio fel siwysaid mishyn i fi.'

'Dwi'n cytuno efo chdi, 'di o ddim yn swnio'n rhy glyfar. Opyrêshyn bach iawn sy gyn y bois 'ma – pump, deg o soldiwrs, tops. Ond ma nhw'n conectyd yn rhywla, 'cos ma'r stwff ma nhw'n shifftio'n shit hot meddan nhw. Dim y cach arferol, nainti pyrsént talc, asprin a dwn 'im be. Drygs gwerth chweil.'

'Fel oedda nhw'n yr hen ddyddia,' dywedodd Felix mewn llais gorhiraethus.

'Ia, fel yn yr hen ddyddia.'

'A 'di'r stwff o Lerpwl ddim gystal, ti'n deud?'

''Di o'n syrtynli ddim yn dod o'r un lle â ma bois chdi'n cael eu gêr. Ma'r sgywsars 'di arfer cael getawê efo torri'r gêr efo be bynnag lecia nhw, laic it or lymp it.'

'Ond rŵan, ma 'na ddewis i'r pyntar. Misdyr Bland o Lerpwl neu Misdyr Enfys, os ti'n fodlon mynd allan o'r ddinas i nôl o,' awgrymodd Felix.

'Ti'n foi da am ffigro petha allan yn ffast, Oswyn Felix. Wrth feddwl am y peth, ma'r bois 'ma'n bod braidd yn obfiys, rhy obfiys i fod yn thic neu'n ddiniwed. Ma nhw'n herio'r Lifyrpwl mob, ti'n cytuno?'

'Ella.'

'Os ydyn nhw, ma hon yn gêm hollol wahanol. Ti'n mynd i ffeindio dy hun yng nghanol mob wôr. Ar un ochr y gang newydd 'ma, hefo copars corypt Bangor a ffyc nows pwy arall yn sbonsro nhw. A'r craim sindicyt mwya yn y wlad tu allan i Llundan ar yr ochr arall, a ffycin landlord y Penrhyn Arms yn y canol. Pob lwc i chdi efo hwnna, Oswyn Felix.'

'Diolch.'

'Pob lwc, ffyc.' Roedd y botel 'nôl ar wefus ffens y lladron. Cymerodd lymaid mawr arall.

'Theoreisio a gesio 'di'r cwbwl 'da ni'n neud yn fama. Ond hyd yn oed os 'di Marlon ffycin Brando a'i gath wen yn sbonsro nhw, ma nhw'n mynd i gael fisit gynno fi'n fuan,' dywedodd Felix gan godi o'r sêt a'i phlygu ynghau.

''Di hynna'n gneud dim sens – doedd y Godffaddyr ddim yn delio drygs, dyna pam gawson nhw'r tyrff wôr yn y ffilm gynta,' dywedodd Steptoe gan barhau gyda'i arddull dafodrydd.

'Beth bynnag, ti'n gwbod be dwi'n feddwl.'

'Os ydi nghyngor i'n werth unrhyw beth i chdi fyswn i'n sticio at dynnu peintia os fyswn i'n chdi, Felix. Gad o fod, wàs.'

Rhythodd Felix ar y llipryn llithrig o'i flaen gan wneud iddo wrido ac edrych i lawr ar ei fflip-fflops.

'Ti a fi, ddim byd tebyg, Rhodri,' dywedodd yn ysgafn a chyflym. 'Os bydda i'n ffeindio fy hun yn y canol, ella medra i sleifio allan o'r frwydr tra ma nhw wrth yddfa'i gilydd. Ac ella mai'r canol llonydd distaw ydi'r lle gora i fod mewn corwynt.'

'Yr unig broblem hefo bod yn ganol hyricên ydi bod rhaid i chdi adael y canol rhyw dro, a weithia ma'r ffycar yn mynd yn rhy gyflym i chdi fedru aros yn y canol, so ti'n cael dy lusgo i fewn i'r shit.'

'Ffycin 'el, ma'r metaffor yna 'di snapio'n ddau, ti 'di stretsio hi mor bell,' dywedodd Felix.

'Os am ddial, rhaid cadw'n cŵl. Cytuno, Misdyr Felix?'

'Cytuno, Misdyr . . .' Gogwyddodd ei ben fymryn i'r chwith a chraffu ar Rhodri cyn mentro '. . . Steptoe?'

'Jyst nicnêm 'di Steptoe. Dwi'm yn meindio fo, maind. Clasic sitcom carecdyr. Mae o'n well na ffycin Del Boy eniwe.'

Cymerodd lymaid arall o'r botel chwart a rhwbio'r croen o dan ei drwyn efo cefn ei law. Roedd Felix weithiau'n gweld llygod mawr yn gwneud rhywbeth tebyg wrth y biniau yn iard gefn y Penrhyn. Y rhwbio, dim yr yfed wisgi, dywedodd wrtho'i hun.

'So, rhaid cael plan.' Dechreuodd Steptoe gyfri ar ei fysedd. 'Cael tîm i ecsiciwtio'r plan, a rhaid cael ecsit strajydi a continjynsi plan, rhag bod petha'n mynd tits yp.'

Edrychodd Oswyn ar Steptoe fel pe bai newydd ddechrau siarad Klingon.

''Nes i ddwy flynadd o bisnys admin digrî yn Loughborough yn yr wythdega. Un o blant Thatcher, mê ddy cynt rest in pisus, pan ma hi'n ifentiwli penderfynu marw,' dywedodd Steptoe.

'Dwi'm yn meddwl bod 'na fynwent ddigon mawr yn y wlad i ddal y bobl fydd isho dawnsio ar ei bedd hi.'

'Ti sbot on yn fanna, Felix.'

'Dwi am fynd adra i feddwl.'

'O'n i'n meddwl mai "adra i feddwi" oedda chdi am ddeud yn fanna. Fyswn i ddim yn beio chdi,' dywedodd Steptoe wrth sefyll ac yna fflip-fflopian tua'r drws. 'Na i ffonio'r pỳb os dwi'n cael unrhyw infformêshyn pellach i chdi.'

'Diolch Rhodri, ti 'di bod yn help garw.'

'Fel ddedais i gynna, boi poblogaidd rownd dre 'ma, rhaid clôs rancs weithia, dangos bod rhywun rhywun ddim yn cael ffwcio efo ni.'

'Ti ddim yn swnio fel Bangor ai born an' bred, ddim mwy na finna.'

'Llanfairpwll, digon agos.'

'Ma'r ddinas 'ma'n cael gafael ar ddyn, os 'di o'n aros yma'n rhy hir.'

'Ffycin ei Felix, ffycin ei.'

Prif ragoriaeth merch yw gwarineb, a mwynder, a serch

■

Agorodd Felix ei lygaid, ac yntau wedi ymlacio'n drwm wrth gofio am y sgwrs gyda Steptoe y noson cynt, fel petai'r llesmair braf rywsut yn ehangu ar ei gof. Yn ddiarwybod iddo, roedd wedi plethu'i fysedd tu ôl i'w ben ac roedd ei goesau'n dal i fod wedi'u croesi o'i flaen ac yn gorffwys ar y silff ffenest. Wrth drio ddatglymu sylweddolodd fod ei goes chwith oddi tano wedi mynd i gysgu ac yn pigo drosti fel petai wedi gorwedd ar wely o ddail poethion. Ymestynnodd ei draed a'i ddwylo gan ddylyfu gên, a diweddu'r symudiad trwy edrych ar ei oriawr. Chwarter i saith. Er syndod iddo, teimlai'n effro ac yn glirben, er nad oedd wedi cael ei goffi eto.

Wrth baratoi i dywallt paned, canodd y ffôn ar wal y gegin. Cuchiodd Felix wrth gofio un o'i hoff idiomau, nad yw newyddion da yn dihuno nes hanner dydd. O'r herwydd, atebodd yn syth ond yn anghynnes o swrth.

'Helo, pwy sy 'na?'

'Helo, Oswyn? Mair sy 'ma. Mair Fraser o Ysbyty Gwynedd?' Ar unwaith, cafodd Oswyn y teimlad deublyg o hapusrwydd a gofid. Roedd yn falch o glywed llais y nyrs dlws, ond roedd hefyd yn ymwybodol nad oedd hi'n debygol o fod â rheswm da dros ffonio dyn cyn saith y bore.

'Bore da, Miss Fraser . . . gobeithio'i bod hi, beth bynnag.'

'Sori ffonio mor fuan – dwi 'di dy ddeffro di, siŵr o fod.'

'Na, wir yr, dwi methu cysgu'n tywydd 'ma. Dwi ar 'yn ail banad yn barod.'

'Newyddion drwg, ma genna i ofn. Dim byd rhy siriys,' ychwanegodd yn sydyn, cyn i Oswyn gael cyfle i boeni. 'Ma Dylan yn y theatr – ma'r syrjyn wedi gorfod indiwsio côma am bod 'na blyd clot yn 'i ben o.'

'O.'

'Ma'n swnio'n waeth nag ydio, onast.'

'Ond mae o'n swnio'n ddigon ffycin siriys i fi,' meddai Felix.

'Ydi, ma geiria fel côma a blyd clots yn gallu ffricio pobol allan, ond o ddifri Oswyn, does 'na dim lle gwell i gael clot ar dy frên na mewn ysbyty.'

'Ma hynna'n gneud sens, am wn i.'

''Nath y nyrs nos sbotio'r simptyms, ac mi roedd o yn yr opyreting theatr o fewn yr awr. Lwcus bod o yma, rili.'

'Ond oherwydd y stid gath o ma hyn wedi digwydd, ia ddim?'

'Wel, ia. Bron yn sicir, ond ma 'na lot o feriabyls, Oswyn. Ella bod nhw 'di safio'i fywyd o hyd yn oed.'

'Rhaid i mi gofio diolch iddy' nhw pan wela i nhw,' dywedodd Oswyn yn goeglyd.

'Rheswm pam dwi'n ffonio chdi'n benodol ydi i ofyn os basa chdi'n meindio, ella, deud wrth Sioned? Fel ddedish i gynna, ma'n gallu ffricio pobol allan, cael galwad gan yr hospitol peth cynta.'

'Ia, iawn. Siŵr iawn. Ti'n iawn Mair. Diolch i ti am feddwl amdani, ac am ffonio fi hefyd.'

'Ddylia fod fi'n ffonio hi, strictli spîcin. Ond gan bod rhif ffôn chdi genna i . . .'

'A' i draw i weld hi yli, mi a' i rŵan.'

'Diolch, Oswyn.'

'Wela i chdi'n munud Mair; fyddi di dal yn gweithio?'

'Newydd ddod ar shifft ydwi, deg munud yn ôl.'

'Hwyl am y tro, ta.'

'Hwyl.'

Ymhen dim, roedd Oswyn wedi gwisgo ac ar y ffordd i weld Sioned yn y Golf. Meddyliodd pa mor hawdd oedd y sgwrsio wedi bod hefo Mair, a cheisiodd gofio manylion ei hwyneb ciwt a siâp ei chorff dan ei gwisg startsiog, secsi. Ers i Luned adael ddwy flynedd yn ôl, roedd Oswyn wedi bod yn mwynhau'r bywyd sengl. Roedd ffraeo a dicter, drwgdybio a dichell wedi bod yn fwyfwy rhan o fywyd bob dydd gyda Luned yn y misoedd olaf, ac fe groesawodd y diwedd, er y boen o ollwng gafael ar berthynas degawd a mwy. Byth ers i'r gymdeithas o gwmpas Bangor Uchaf ddod i ddeall ei fod yn sengl, am y tro gyntaf ers iddo ddod yno i fyw, roedd wedi mwynhau sylw cyson a brwdfrydig merched y fro. Yr unig reol bendant gan Oswyn, yn hyn o beth, oedd i beidio â manteisio ar ferched meddw, yn enwedig â chysidro'i fusnes – a rhannai'r cyngor hwn gyda'i ffrindiau tafarn yn aml. Felly rhyfedd oedd dal ei hun yn meddwl am ferch gyda'i ben yn ogystal â'i wialen. A hynny er gwaetha difrifoldeb sefyllfa Dyl Mawr.

Roedd Mair yn iawn am y ffricio allan, meddyliodd Felix wrth wylio Sioned yn rhuthro o gwmpas ei thŷ yn ceisio cael hyd i'w goriadau a'i phwrs gan regi a chrio bob yn ail.

'Gwranda arna i, Sion, gwranda.' Doedd hi ddim yn cymryd unrhyw sylw ohono. 'Sioned, mae o'n iawn. 'Di o'm yn mynd i nunlla, slofa lawr.'

'Be ti'n malu cachu, "mae o'n iawn"? Mae o mewn ffycin côma, Felix, ffycin côma a clot ar ei frên.' Gyda hyn, dyma Sioned yn stopio ac yn syrthio i eistedd ac wylo ar ail ris y grisiau.

'Gei di weld pan awn ni draw. Ella bydd petha'n gliriach o dipyn erbyn hynny.'

Cododd Sioned yn sydyn gan rwbio'i llygaid â chefn ei llaw a chydio yn ei chot ysgafn oddi ar bostyn y canllaw.

'Ty'laen ta,' meddai, ac roedd hi'n eistedd yn y car cyn i Oswyn gau'r drws ffrynt.

A fo ddrwg unwaith, a ŵyr fod yn ddrwg yr eilwaith

■

BRASGAMODD OSWYN FELIX drwy dristwch y cynllunio trefol a elwid yn Ystad Ysgubor Wen; darn papur Steptoe yn ei ddwrn fel pe bai'n rhoi trwydded iddo fentro i grombil perygl y fro heb ymyrraeth gan y brodorion. Roedd yr olygfa'n ystrydebol o frwnt – ceir heb olwynion yn hongian uwchben y tarmac gyda chymorth blociau llwyd. Golau'r stryd, bob trydydd lamp yn dywyll, yn goleuo'n oren gwan lliw piso meddwyn, neu'n strôbio'n wyllt ac yn gwichian yn ei hymdrech i gynnau. Byddai hwn yn lle peryclach fyth i fyw pe bai rhywun yn epileptig, meddyliodd Oswyn wrth gerdded dan un lamp oedd yn ceisio cynnau. Cyrhaeddodd dŷ rhif 72, y rhif oedd wedi'i sgriblan ar y darn papur, yn ddidrafferth. Mwngral yn miglo'n nerfus ar draws y lôn o gysgod i gysgod oedd yr unig enaid byw i'w weld. Roedd hen dai cyngor yr ystad yn dangos eu hoed, a llai o lawer na'r cyfartaledd wedi cael eu prynu gan eu trigolion dan bolisi llywodraeth Thatcher yn yr wyth degau. Y rheswm am hynny oedd fod pobl o'r farn mai Ysgubor Wen oedd diwedd y daith i'r isaf yn y gymdeithas, geto i waddodion yr ardal. Doedd fawr neb yn codi'n fore i baratoi am ddiwrnod o waith, nac ychwaith yn creu prysurdeb ar y lonydd cul gyda'r nos wrth ddod adref. Roedd bron pawb yn gaeth i alcohol, cyffuriau neu dlodi, neu gyfuniad o'r tri. Yr unig ddihangfa i'r ifanc oedd drwy ymuno â'r fyddin, treulio cyfnod yn y carchar, neu wrth gwrs drwy orddefnydd o gyffuriau, a'r tywyllwch di-ben-draw sy'n dilyn hynny.

Roedd rhif 72 wedi'i godi yn yr un dull unffurf, diddychymyg â'r tai eraill, ond safai ar wahan fel Iddew mewn mosg. Roedd blaen y tŷ wedi'i beintio'n ddu, o dan y ffenestri llawr cyntaf unffurf roedd dau lun 'run ffunud â'i gilydd – symbol traddodiadol y môr-leidr, penglog ac esgyrn croes gwyn. Edrychodd Felix arno, ei wyneb yn ddifynegiant, heb fod yn siŵr a oedd y ddelwedd yn chwerthinllyd ynteu'n fygythiol. Doedd dim drws ffrynt i'r tŷ teras, ond yn hytrach llenwyd y bwlch gan un darn mawr o haearn wedi galfaneiddio a'i rybedu'n sownd. Doedd dim twll pwrpasol ynddo ar gyfer y post.

Tynnodd Felix lond ysgyfaint o anadl, fel pe bai am ddeifio i ddyfnderoedd rhyw bwll, a chychwynodd i lawr y llwybr byr drwy'r ardd flaen fechan. Yn wahanol i weddill gerddi'r ystad, doedd dim sbwriel na theganau wedi'u malu yn hon, nac ychwaith anialwch o wair, chwyn a baw ci i lygru'r sgwariau twt bob ochr i'r llwybr. Yn wir, roedd noethni taclus y lawntiau glaswellt yn cyferbynnu'n eithriadol o od â rhai'r cymdogion. Curodd Felix ar y ddôr haearn, gan ddisgwyl clywed atsain tebyg i ddrws garej. Ond lladdwyd twrw'i gnoc; roedd yr haearn yn amlwg yn drwchus, chwarter, efallai hyd yn oed hanner modfedd o drwch. Clywodd gloeon yn cael eu troi oddi mewn yn syth, yna cadwyn ddolennog yn clicio'n fás a thrwm wrth gael ei llusgo'n gyflym o'r chwith i'r dde. Agorodd y ddôr am allan ar dri cholyn drws swmpus oedd wedi'u hiro'n hael. Roedd yn agor yn llyfn a distaw, fel drws cromgell banc moethus. Meddyliodd Felix yn sydyn wrtho'i hun bod y drws yn werth cymaint â'r tŷ, o gysidro'i leoliad.

'A pwy ffwc wyt ti, pan ti ddim adra?' holodd dyn yn ei ugeiniau cynnar a safai gam oddi mewn i ffrâm y drws. Gwisgai drwsus byr lliw caci a fest wen blaen, ac roedd cadwyn arian drwchus dros ei ysgwydd dde. Roedd hefyd yn gyhyrog ac yn dal, a dan ei wallt criwcyt cymen roedd wyneb diemosiwn, caled.

'Felix, Oswyn Felix,' dywedodd Oswyn yn baglu dros y geiriau gan rwbio'i law yn gyflym ar ei siaced ddenim a'i chynnig i gael ei hysgwyd.

'Be, fatha Bond, James Bond?' Roedd y dynwarediad yn union fel Sean Connery adeg *Dr No*, a daliodd y llanc ei afael yn y gadwyn. Teimlodd Oswyn ei fochau'n gwrido fymryn.

'Ia, da 'wan.' Cododd ei law a gwthio'i fysedd drwy'i wallt. 'Yma i weld Christopher Keynes – Steptoe'n deud i fi ddeud helo drosto fo.'

'Pwy ti? Y mab?'

'Sori?'

'And syn. Steptoe and . . ?' Gwenodd y dyn am y tro cynta, rhyw fymryn beth bynnag.

'Gwranda, mêt, dwi'n y lle iawn ta be? Dwi'm rili'n licio nocio ar ddrysa pobol diarth a ca'l nhw'n cymyd y pis allan o'na i.'

''Di Dad ddim yn gweld pob pîs o pis sy'n galw chwaith. Be tisho?'

'Dibynnu be mae o'n gynnig ar ôl i fi ddeud fy neud,' dywedodd Oswyn Felix, a'r cyfeillgarwch wedi diflannu o'i lais, ei wyneb a'i osgo.

'Ffêr inýff.' A caeodd y ddôr haearn yn ddistaw yn ei wyneb. Chlywodd Oswyn mo'r gadwyn ddolennog na'r cloeon yn troi, felly safodd wrth y drws â'i ddwylo yn ei bocedi.

Daeth delwedd o farchog yn disgwyl i bont godi roi mynediad iddo i gastell i'w feddwl. Dychmygodd y plu ar linyn ffrwyn y stalwyn gwyn urddasol, a phais arfau'r marchog yn dallu'r gwylwyr yn y tyrau uwchben. Yna agorodd y bont a safai llanc gwahanol ond digon tebyg i'r llall o'i flaen y tro hwn.

'Chdi 'di Felix y Penrhyn Arms, ia?'

'Iyp.'

'A ti yma i weld Dad, ar ôl be ddigwyddodd i Dyl Mawr?'

'Cywir eto.'

'A Steptoe ddaru rhoi adres ni i ti?'

'Sori, Misdyr Keynes, dwi 'di cael gêm o twenti cwestiyns hefo dy frawd yn barod. Dwi'n cael gweld dy dad ta be?'

''Di Dad ddim yn gweld llawer o neb ddyddia 'ma,'

dywedodd y brawd, ei lais yn undonog ac yn ddigyffro. 'Ond mae o'n ffrindia hefo Steptoe ac yn gwbod stori Dyl Mawr, a dwi jest yn gneud yn saff bod ni'n dallt 'yn gilydd. Dwi'n apolojeisio am Carwyn, ffyrst lain of difféns.' Estynnodd ei law i Oswyn Felix gael ei hysgwyd. 'Ty'd fewn. Tecwyn, Tecs, dwi.'

'Chdi 'di Henri Cisinjyr y teulu felly, ia?'

'Rhwbath fel'na. Dilyn fi a tria edrych lle ti'n sathru. Cathod yn bob man.'

Wrth gamu drwy'r drws cafodd Oswyn dystiolaeth o wirionedd rhybudd Tecs yn llenwi'i ffroenau. Ogla cafnau cachu cath a thuniau o bysgod yn brwydro yn erbyn cemegion syrffedus blîtsh a chaniau persawr awyr iach. Er hyn roedd y coridor yn drefnus a'r carped yn lân, ac wrth iddo edrych o'i flaen, heibio'r grisiau, tuag at gegin daclus gwelai Carwyn yn eistedd ar stôl Eidalaidd, ddrud yr olwg, yn yfed allan o fŵg gan syllu'n ddifynegiant arno eto. Gwenodd Oswyn yn ôl gan godi'i law a siglo'i fysedd yn brofoclyd, cystal â dweud 'Dwi fewn'.

'Tydi Dad ddim wedi codi o'i wely ers tipyn, felly 'di o ddim rîlî'n ffit i ga'l pobol yn galw, ond mae o isho clywed be sy gen ti i ddeud, Felix. Jest warnio chdi – bach yn smeli, bach yn mesi, ddim yn hawdd ar y llygad, ti'n ca'l fi?'

'Dwi'n dallt,' dywedodd Felix, ond diolchodd iddo'i hun yn ddistaw bach nad oedd wedi bwyta ers amser cinio. 'Be sy'n bod ar dy dad, ga i ofyn?'

'Gei di weld, mae o'n selff ecsplanitori.' Gyda hyn dyma Tecs yn agor drws i'r dde o'r gegin cyn gwahodd Oswyn i fynd i mewn yn gyntaf. Camodd Felix trwodd gan edrych dros ei ysgwydd yn nerfus o aml i weld a oedd Tecwyn am ddilyn. Erbyn iddo groesi'r trothwy'n llwyr, dyma Tecwyn yn codi bawd ac yn gwenu arno'n gysurlon cyn cau'r drws rhyngddynt.

Na fydd debyg i hwch yn dy wales

'SYM Y GATH oddi ar y sêt 'na a parcia hi,' dywedodd Keynes o'i wely dwbl.

Ufuddhaodd Felix, a'r gath fach sinsir yn mewian ei hanfodlonrwydd o gael ei disodli.

Roedd ystafell wely Keynes yn gwbl syfrdanol, fel ystafell rhywun fu gynt yn deithiwr a chwiliwr byd ac yntau wedi ceisio cywasgu'i holl eiddo i mewn iddi. Ni allai Felix yn ei fyw gadw'i lygaid yn llonydd – roedd mapiau manwl o Awstralia a'r Dwyrain Canol, ac ynysoedd nad oedd yn eu hadnabod, ar y waliau, rhwng rhengoedd o silffoedd yn llawn – wel popeth, meddyliodd, yn llawn popeth. Offerynnau cerdd tebyg i gitârs, ac anifeiliaid wedi'u stwffio – llwynog, armadilo, crocodeil bach a llawer mwy. Offer pres gwyddonol yn dyddio o'r chwyldro diwydiannol, a thelesgob tew modern a drud yr olwg. Roedd sgriniau teledu, hanner dwsin neu fwy ohonyn nhw, yn britho'r ystafell. Dyma ganolfan ddiogelwch 72 Ysgubor Wen, ac roedd gan Keynes olygfa wahanol ar bob sgrin o bob rhan o du allan ei gartref. Er gwaethaf y miloedd o eitemau a wasgwyd yn dynn i bob twll a chornel, roedd y silffoedd yn rhyfeddol o drefnus yr olwg, a phob eitem yn gwybod ei lle ac yn fodlon aros yno. Roedd hi'n ystafell fawr, rhyw bum troedfedd ar hugain sgwâr, dyfalodd, ond gyda'r gwely yn y canol, a'r cyfan o'i eiddo o'i gwmpas, roedd byd Keynes yn gwneud i Felix deimlo'n glostroffobig iawn.

'Ma gin ti enw da yn y dre 'ma Oswyn Felix, Landlord of ddy Penrhyn Arms drincin' esdablishment. Neb efo gair drwg i ddeud, ella fod dy rechod di ddim yn drewi chwaith,' dywedodd Keynes gan wagio'r can cwrw rhad oedd wedi bod yn hofran dan ei ên a'i daflu ar lawr i ymuno, gan ganu'n un côr alwminiwm swnllyd, â'r mynydd o ganiau a oedd yno eisioes. Tarodd Keynes rech daranllyd.

'Yn wahanol i rhei fi,' dywedodd gan chwerthin.

Nid oedd hyn yn mynd i wella dim ar awyrgylch a oedd eisoes yn arogleuo'n sur a syrffedus, a chododd Felix ei fraich at ei geg a thynnu anadl drwy ddefnydd ei siaced wrth ei benelin. Dim ond gwneud i Keynes chwerthin yn fwy llawn wnaeth hyn, ei fol anferth yn symud dan y dillad gwely fel pe bai'n wely dŵr.

'Sori, Felix, sori.' Roedd Keynes yn tagu a chwerthin bob yn ail erbyn hyn. 'Yn-cold-ffor, yn-cold-ffor biheifiyr, syr, madda i fi, madda fi.' Tagodd fel tasai deinameit yn ffrwydro'r llechen yn chwarel ei frest.

Câi Oswyn drafferth credu mai dyn oedd yn ei wynebu ar y gwely. Dyma Keynes a'i ben moel yn sgleinio fel marblen, a'i farf yn ddu a hir fel adain brân, yn gorwedd ar wely claf nid yn annhebyg i'r un roedd Dyl Mawr yn gorwedd arno i fyny'r lôn yn yr ysbyty. Roedd y gorweddwr yn anferth, a'i groen yn dynn o amgylch ei fraster swmpus, yn union fel tasai ei holl gorff yn un fron silicon fawr. Agorodd gan arall o gwrw gydag un llaw chwyddedig a chymryd llymaid hir eto. Doedd Oswyn dal heb ddweud gair. Gostyngodd ei fraich, a sylwi bod dagrau wedi ffurfio yn ei lygaid; roedd pob darn o'i feddwl a'i gorff yn ei gymell i beidio â thynnu aer yr ystafell i'w ysgyfaint. Gorfododd Felix ei ddiaffram i godi, a dyma ddeigryn unig yn disgyn lawr ochr ei foch. Nid oedd yr awyr mor ffiaidd ag a rybuddiai ei ddychymyg ef a chafodd ei hun yn gobeithio bod y gwaethaf heibio.

'Be wyt ti am i Christopher Rutherford Keynes neud am y sitiwêshyn Felix? Pam wyt ti wedi dod yma i ngweld i?' Cododd Keynes ei ddwy law wrth ddweud hyn – roedd ei freichiau mor fawr â choesau chwarewr rygbi ail reng.

'Dial dwi isho, rifenj, yn syml iawn; rifenj ar y cachwr nath ffasiwn beth i ddyn da.'

'Dwi'n rhyfeddu dy fod yn dweud dy motif mor amlwg, dim malu cachu am gyfiawnder a chwara teg a ballu. Dial! Da iawn, 'wan, da iawn.' Gwagiodd Keynes y can a'i luchio i'r domen belydrog, mewiodd cath rywle yn y stafell. 'Sud 'dan ni'n mynd o gwmpas y rifenj mishyn 'ma, y? Eni eidîas?'

'Ma' syniad genna i. Fydda i angen help i drefnu – hogia da, sy'n gwbod gwerth cadw'n ddistaw. Cofŷrt opyrêshyn, Misdyr Keynes, cofŷrt and top sîcryt.'

'Ti'n gwbod am 'yn hogia i, felly, Felix, y? Steptoe, no dowt.'

'Nath o sôn bod un yn ecs-SAS a bod y fenga, Carwyn dwi'n cymryd, yn rwbath hysh-hysh, sbeshyl ops neu rwbath.'

'Speshyl ops, ha!' Gyda'r floedd honno, canodd tant ar un o'r gitarau egsotic y tu ôl i Oswyn. 'Ffycin myrsynari bodigard 'di Carwyn. Tri mis yn Irác, tri mis adra. Wyth deg mil o bunnoedd am chwech mis o waith.'

'So ma'r ddau yn ecs-armi?'

'Ma'r ddau yn treind tw cil, cyrtysi of Hyr Majesti ddy Cwîn.' Pwyntiodd Keynes ei fys estynedig at Felix. 'Piiiwww,' meddai'n goeglyd cyn chwythu'r mwg dychmygol oddi ar flaen ei fys.

'Dwi'm yn mynd i allu compîtio hefo'r oil contractyrs American fis-á-fi pres chwaith, Misdar Keynes.'

'Ffwcio pres, dim pres 'di bob dim, ma hogia fi'n gwbod eu Beibil, Felix. Ma nhw'n dallt gwerth y geiniog, ond tydyn nhw ddim yn caru pres, ffwcio pres.' Roedd Keynes yn gwgu ar Felix, ac roedd yntau'n gallu gweld, er y braster, mai mab ei dad oedd Carwyn.

''Dach chi'm 'di clywad y plan eto. Ella fod 'na'm digon o aur yn Ffort Nocs i ddenu'r bois i helpu?' Roedd Felix yn hanner gwenu wrth ddweud hyn, yn gwneud ei orau i bryfocio'r bwystfil.

'Lisyn yp, Oŵswyn Felix. Ti ddim yn dwp, dwi ddim yn dwp. Fydd 'na ddim contracts yn ca'l 'u seinio, fydd 'na ddim ffycin saining-on ffi. Os oes plan i gael gynno chdi, a ma' hogia fi'n medru helpu i ecsyciwtio'r plan, let's get dawn tw bisnys.'

'Dwi'n cytuno, ond un peth dwi ddim yn dallt – pam helpu o gwbwl?'

'Be 'dan ni'n gael allan o'r peth, ti'n feddwl?'

'Yn union.'

'Deud ti 'tha fi, Misdyr Landlord.'

'Be, peint am ddim?'

'Na, siriys. Pam ti'n meddwl fod fi mor cîn i gynnig gwasanaeth fy ddau haili scild myrdyr wepyns i, i chdi?' gofynnodd Keynes, a phob gronyn o fynegiant yn diflannu o'i wyneb. Edrychai fel un o'r hen fenywod Beverly Hills 'na sy wedi mynd i ddibynu'n ormodol ar y botocs, meddyliodd Oswyn. Dyma Oswyn yn dynwared ei wyneb pocer ac yn aros, cyn ateb.

'Am bod chi ddim isho i ddim byd drwg ddigwydd i fi?'

Cafwyd eiliad hir o dawelwch cyn i wyneb Keynes gywasgu, fel pêl-droed hefo pynctiar, a chwarddodd yn onest a chynnes.

'Ia, da iawn, da iawn rŵan Felix. Pasia un o'r rheina i fi,' meddai gan gyfeirio'i law at y pecyn o bedwar can lagyr oedd ar lawr o dan y silff isaf y tu ôl i gadair Oswyn. 'A popia'r tab ar un i chdi dy hun tra ti wrthi.'

'Cwrw archfachnad cachu fel hwn sy'n lladd 'yn pỳbs ni,' dywedodd Felix wrth basio can i Keynes.

'Dwi'm rîlî'n rhan o dy claiynt bês di, nadw?' dywedodd Keynes. 'So, be 'di'r plan 'ma, Oswyn Felix?'

'Ffytsss,' dywedodd y can cwrw rhad yn ei law.

Y bendro wibwrn

■

GORWEDDODD DITECTIF Sarjant Ian Richardson ar lawr yng nghefn cerbyd; dyfalai mai mewn fan wen yr oedd o, neu efallai Land Rover. Roedd mwgwd dros ei ben, a'i ddwylo wedi'u clymu â thâp trwchus. Teimlai esgid drom, yn lolian yn ôl ac ymlaen gyda rhythm y ffordd, yn gorwedd ar hanner uchaf ei fraich dde.

Nid oedd y dynion oedd wedi ei herwgipio, yn gwbl anghredadwy, o'r tu allan i'r orsaf heddlu ym Mangor, wedi rhoi tâp dros ei geg. Ond roedd Richardson eisoes wedi syrffedu ar drio tynnu sgwrs gyda'i herwgipwyr. Dyfalai fod y cerbyd yn teithio ers o leiaf awr, heb iddo glywed yr un gair ar wahân i'w lais ei hun.

Pan gafodd ei gipio ychydig wedi tri, fel roedd ei shifft brynhawn Gwener wedi'i chwblhau, methu ymateb wnaeth Richardson. Byddai'n bedwar deg pump oed, pe bai'n aros yn fyw, ymhen chwech wythnos, ond er ei fod yn dipyn o baffiwr yn ei ieuenctid, ac wedi cadw'n heini'n bell i mewn i'w dri degau, methodd ymateb yn ddigon cyflym. Ceisiodd, tra gorweddai'n anghyfforddus yn y cerbyd, ddyfalu pam yr oedd o wedi mynd gyda nhw'n dawel bach, fel oen i'r lladd-dy. Ceisiodd hefyd ddyfalu beth oedd motif yr herwgipwyr. Pam cipio Ditectif

Sarjant Ian Richardson? Doedd o ddim yn gopar brwnt, naill gyda'i ddwylo na gyda'i dafod. Doedd o ddim wedi hel llond dosier o elynion yn ystod ei ugain mlynedd yn y ffôrs. Doedd o ddim yn berchen ar wybodaeth sensitif fuasai o gymorth i ddihirod hard-côr. Credai fod y dihirod wedi cerdded tuag ato, dau y tu ôl iddo ac un o'i flaen, ei fygydu a'i daro unwaith yn ei fol cyn ei gario am dipyn a'i daflu ar lawr y cerbyd.

Elfen swrreal arall oedd y ddealltwriaeth oedd rhyngddynt; heb yngan yr un gair, cyflawnwyd y weithred hynod beryglus a difrifol hon ganddynt fel pe baent yn torri a hel coed o gloddiau, a phawb yn hapus a hamddenol wrth wneud eu rhan yn y gwaith. Yn wir, milwrol oedd yr unig ffordd i ddisgrifio'r weithred. A chafodd Richardson rywfaint o gysur, yn rhyfedd ddigon, o'r teimlad ei fod yn nwylo dynion proffesiynol.

Newidiodd rhythm y droed anghyfeillgar a orweddai arno, a thybiai Richardson eu bod wedi gadael y briffordd a bellach yn teithio ar hyd ryw lôn cefn gwlad. Dyfalodd eu bod rywle o fewn radiws o chwe deg milltir neu fwy i Fangor. Ochrau Lerpwl, Amwythig, Machynlleth, Caergybi – neu rywle yng nghanol Parc Cenedlaethol Eryri, efallai? Wrth gwrs, efallai eu bod yn teithio mewn cylchoedd o gwmpas Bangor, doedd dim modd iddo wybod. Y tro nesaf y byddai'n agor ei lygaid, pe cai'r fraint honno, ni fyddai ganddo syniad lle roedd o.

Fe fyddai ar goll yn llwyr.

Sglefriodd y cerbyd i stop ar gerrig mân, y crensian

dan yr olwynion yn ddigamsyniol gan fod clyw Richardson wedi'i ddyrchafu i'r synnwyr cryfaf bellach. Teimlodd rhyddhad ar ei fraich wrth i'r cythraul symud ei droed oddi arno. Clywodd ddrysau'r cerbyd yn agor, a theimlodd awel gynnes gref yn cynhyrfu blew ei goesau wrth deithio i fyny'i drwsus llaes ysgafn. Dechreuodd anadlu'n gyflymach wrth i'w adrenalin godi unwaith eto a cheisiodd gyflyru'i hun i beidio ag ofni'n ormodol. Synhwyrai fod rhywun yn ymadael â'r cerbyd, gan adael o leiaf ddau ar ôl yn ei warchod. Cariwyd chwiban undonog miniog ar y gwynt o rywle cyfagos, a chafodd Richardson ei godi'n frwnt i'w draed gan ddwy law – un o dan bob cesail. Llusgwyd ef ar hyd y cerrig mân oddi wrth y cerbyd ac yntau'n ceisio darganfod ei draed unwaith eto ar ôl iddo fod yn gorwedd cyhyd.

Sŵn drysau rhydlyd yn gwichian ar agor o'i flaen, ac wrth i'r llawr deimlo'n gadarn oddi tanodd, teimlai'r awyrgylch yn llonydd ac oer o'i gwmpas. Roedd yn amau ei fod mewn hen feudy neu fwthyn, a dechreuodd ei gorff grynu mewn ofn. Daeth arogl tamp cryf i'w ffroenau. Dyma un o'r dynion yn tagu i'r chwith iddo, ac wrth i'r twrw daro'n wag o'i gwmpas, cafodd Richardson syniad bras o faint yr ystafell. Cafodd ei bwnio yn ei gefn, cymerodd hyn fel ysgogiad iddo symud yn ei flaen, a chymerodd gamau bach gofalus. Roedd yn amlwg iddo bellach mai llawr pridd oedd dan ei draed – hen adeilad fferm, efallai? Cydiodd dwy law yn ei ysgwyddau o'r tu ôl, a daeth Richardson i stop. Tynnodd yr ymgodymwr ef ryw hanner cam i'r dde cyn ei droi rownd. Teimlodd gic sydyn ar gefn ei bengliniau, ac yn sydyn reit roedd Richardson yn eistedd ar sêt galed.

Torrwyd drwy'r tâp oedd yn clymu'i ddwylo gyda sŵn cyfarwydd siswrn a chymerodd Richardson gysur o'r ffaith eu bod yn defnyddio siswrn yn hytrach na chyllell i'w ryddhau. Rhwbiodd ei arddyrnau stiff fesul un gyda'i ddwylo. Tynnwyd ei ben yn ôl, gerfydd top y mwgwd, i orwedd ar gefn solat, uchel y gadair. Yna fe'i rhwymwyd yn dynn o gwmpas ei wddf â rhyw fath o ddefnydd tenau ond cryf – sgarff sidan neu dei, efallai. Ar hyn, gyda'i gefn yn gweithredu fel seinfwrdd, cafodd Richardson wir syniad o'r ofn a deimlai gyda'i galon yn curo ddwywaith, dair bob eiliad, gan atseinio'n swnllyd yn ei glustiau sensitif.

Gafaelodd rhywun yn ei freichiau unwaith eto, a chlymwyd nhw'n dynn i freichiau'r gadair â thâp. Clymwyd ei goesau yn yr un modd. Roedd Richardson yn dechrau gor-anadlu, fel pysgodyn newydd lanio ar dir sych, a'r chwys hallt yn llifo i lawr ei wyneb. Ailadroddodd yr un geiriau wrtho'i hun.

Paid â panicio.

Paid â panicio.

Paid â panicio.

Chwipiwyd y mwgwd i ffwrdd yn sydyn, gan adael ei wyneb yn noeth. Teimlai ryddhad wrth i'r chwys ddechrau oeri. Teimlai fel pe bai wedi rhoi ei ben mewn rhewgell. Er hyn, nid oedd Richardson wedi agor ei lygaid eto. Yn sydyn, roedd yn ymwybodol eu bod wedi'u sodro ynghau, a theimlodd ei hun yn gwrido'n ddwfn mewn cywilydd am ei lwfrdra. Pe bai'n agor ei lygaid, meddyliodd, byddai'n gweld y dihirod. Ac os felly, byddai'r dihirod yn fwy tebygol o'i ladd, oherwydd y gallai eu hadnabod ryw dro eto.

Dechreuodd Richardson chwerthin yn ddistaw. Be' ydw i'n malu cachu, dywedodd wrtho'i hun, os dwi'n mynd i farw yn fama heddiw? Nhw fydd yn penderfynu. Dim fi, hefo'n llygaid 'di cau fel ryw hogan fach chwech oed yn gneud dymuniad uwchben cacen ben-blwydd. Ymlaciodd, daeth y crynu afreolus i stop. Tynnodd Richardson anadl hir drwy ei geg, ac agor ei lygaid.

'Jîsys hels bels!' ebychodd wrth weld ei frawd bach o'i flaen wedi'i glymu i bostyn pren. Roedd Cefin, neu Kevin fel roedd o'n mynnu galw'i hun, i'w weld yn anymwybodol.

'Kevin!' gwaeddodd Richardson, ond ni chododd Kevin ei ben.

'Iw ffycs! Wot haf iw dyn tw him?' Dechreuodd gynhyrfu yn ei sêt, ond doedd dim modd dianc o'r rhwymyn. Gallai droi ei ben yn eithaf rydd, a gwelodd ei fod mewn hen stabl gyda llawr pridd a waliau cerrig trwchus wedi'u hanner plastro â chalch. Roedd o leiaf tri o'i garcharwyr yn yr ystafell, a honno wedi'i goleuo'n llachar gyda lampiau trydan pwerus ar lawr. Cafodd ryddhad pellach o sylwi bod y dihirod yn gwisgo mygydau balaclafa. Roeddynt hefyd yn gwisgo cotiau cuddliw caci ac roedd yn amhosib peidio â meddwl am fyddinoedd paramilitaraidd Iwerddon.

'Ai hafynt sîn mai bryddyr in ffaif iyrs, so lîf him awt of it, iw bastyrds!' Ceisiodd ddangos ei wyneb mwyaf caled, ond gwyddai ei fod wedi profi iddynt nad John Wayne ydoedd ynghynt.

Digwyddodd dim.

Symudodd neb.

Ddywedwyd 'run gair.

Dechreuodd Richardson wylltio. Roedd ei wyneb yn araf droi'n goch wrth edrych ar ei frawd, wedi'i rwymo â rhaff o gwmpas ei frest ac o dan ei geseiliau. Roedd ei ddwylo wedi'u clymu tu ôl i'w gefn a'r postyn.

'Ai'm y copyr, for crais sêc, iw can't dw ddis, iw can *not* dw ddis.'

Dal dim ymateb.

'Ocê, jyst tel m . . .' Dyma belen o ddefnydd, fel hosan wedi'i lapio'n dynn – yn rhoi taw ar Richardson wrth i rywun anweledig ei stwffio i mewn i'w geg. Clymwyd cortyn o gwmpas ei ben i'w rwystro rhag poeri'r belen allan.

Cerddodd un o'r dihirod at ei frawd a chodi'i ben gerfydd ei wallt du trwchus i weld a oedd Kevin yn ymwybodol; roedd ei lygaid ar gau, ei ên yn llipa a'i geg yn agored. Cymerodd y dyn fatsien fawr o'i boced a'i thanio ar goedyn sych y postyn uwchben Kevin. Gyda bys bach a bawd un llaw, agorodd glawr llygad chwith

Kevin yn frwnt. Dechreuodd ddal y fatsien ar ongl yn agosach at y llygad agored.

Roedd Richardson, a'i wyneb yn biws, yn gwingo ac yn brefu yn ei sedd.

'Ok , ok, I'm awake. Fuck's sake man. Get that fucking flame out of my face,' gwaeddodd Kevin Richardson a'i actio wedi'i anghofio wrth wynebu realiti'r fatsien boeth.

Rhoddodd y dyn y fatsien, â'r fflam wedi cyrraedd hanner ffordd i lawr y goes, yng ngheg Kevin. Diffoddodd gan ffisian, fel can pop yn cael ei agor, ar ei dafod.

'Awww!' Poerodd Kevin y tamaid pren allan. 'That fuckin' hurt, fuck's sake!'

Roedd y dyn wedi cadw'i afael ar wallt Kevin Richardson, a thynnodd ei ben ymlaen rhyw ddwy fodfedd cyn ei daro'n gyflym yn erbyn y postyn. Clec!

'Eawwww!' Roedd coesau Kevin yn rhydd, a dechreuodd wneud dawns fach i geisio anghofio am ei ben poenus. Yna dyma dyn y fatsien yn stwffio hosan – yr un fath yn union â'r llall – yn ngheg Kevin. Lapiodd ddarn trwchus o dâp gludiog dros ei wefusau.

Daeth dyn arall, tal a chadarn yr olwg at Kevin o'r dde iddo. Aeth i boced ochr ei siaced gaci a thynnu paced allan, maint bag siwgr o bowdr gwyn wedi'i lapio mewn seloffên. Gwyddai Richardson yn syth beth oedd yn y pecyn. Aeth y dyn i'w boced arall a daeth cyllell Stanley i'r golwg. Ymddangosodd y llafn o'i gudd-le gan ddal golau'r lamp a dallu Richardson am amrantiad.

Gwaniodd y pecyn a'i agor, a dechreuodd y powdr gwyn ddisgyn fel rhaeadr fechan i'r llawr pridd. Roedd y dyn yn codi ac yn gostwng y pecyn o dan drwyn Kevin, wrth iddo wagio. Roedd hyn yn esbonio'r cyfan i Richardson. Ers iddo weld ei frawd bach ddiwethaf, roedd o wedi codi'i gêm o fod yn dwyn o bwrs eu mam. Ti yn y Premier Lîg rŵan Kevin bach, meddyliodd. Yn rhyfedd iawn, nid oedd ofn ar Richardson mwyach, ac yntau'n gwybod pam roedden nhw yno.

Gwasgodd y dyn y seloffên yn belen fechan, gan fod ei gynnwys bellach ar wasgar ar lawr y stabl wrth draed Kevin. Rhoddodd ddau drawiad bach ar foch Kevin, yna camodd o'i flaen gan guddio Kevin yn gyfan gwbl o olwg Richardson. Â'i gefn at Richardson, dyma'r dyn yn mynd i'w boced am y trydydd tro, y tro hwn i boced fewnol ei siaced. Daeth ei law i'r golwg yn gafael mewn dryll. Gwyddai Richardson yn syth mai Browning oedd o, gwn llaw mwyaf cyffredin y fyddin ym Mhrydain.

Blydi hel, paid â bod yn fyrbwyll mêt, meddyliodd.

Yna dyma'r dyn cadarn yn peri i wallt byr gwegil Richardson godi fel gwrychyn ci. Wynebodd Kevin, a'i gefn at Richardson, yna cododd ei fwgwd balaclafa. Gallai Richardson glywed ei frawd yn ymdrechu i sgrechian, a chafodd gipolwg ar ei goesau'n cicio i bob cyfeiriad. Ma nhw'n mynd i'w ladd o, dywedodd Richardson wrtho'i hun. Ma nhw'n mynd i ladd Kevin. Roedd yn ysgwyd ei ben yn ddiarwybod iddo'i hun, ei lygaid yn fawr ac wedi stopio clipio.

Pwyntiodd y dyn y Browning yn syth at y fan lle dyfalai Richardson roedd pen ei frawd.

Dyma ni, meddyliodd Richardson . . .

Yn sydyn, daeth llonyddwch a distawrwydd i'r stabl, a'r awyrgylch yn ormesol ac yn drydanol ar yr un pryd. Am ryw eiliad, teimlai fel bod mewn breuddwyd, lle mae popeth yn gliriach, ac mae holl fater y bydysawd wedi'i arafu.

Roedd Kevin hefyd wedi llonyddu ac roedd yn fud. Gafaelai Richardson yn dynn ym mreichiau'i gadair, fel aeroffobig yn disgwyl i awyren godi oddi ar y tarmac.

Clic, clic, DCH,CH,CHWMTHth,th, ding.

Gwelodd Richardson fasgl y gertrisen yn hedfan allan o'r Browning, i'r dde. Tynnodd y dyn cadarn ei fwgwd yn ôl am ei wyneb, ac wrth iddo droi i wynebu Richardson gwelodd fod Kevin, â'i lygaid wedi'u cau yn dynn fel pe bai'n rhwym, dal yn fyw. Codai mwg o dwll yn y postyn rhyw ddwy fodfedd uwch ei ben. Roedd clustiau Richardson yn gwichian ac yn pigo'n boenus ar ôl bod mor agos at ffrwydrad y Browning, ond doedd o erioed wedi teimlo'r fath ryddhad. Roedd Kevin yn crynu fel pe bai'n sefyll yn disgwyl bws ganol mis Ionawr, ei ddannedd yn rhincian yn gyflym ac yn cadw twrw fel maracas. Dechreuodd coes dde ei drowsus glas golau droi'n dywyll yn raddol o'r balog i lawr.

Symudodd y ddau ddyn at gadair Richardson; torrodd un y tâp â'i gyllell Stanley a dyma'r llall wedyn yn ailglymu'i ddwylo ynghyd â rhagor o'r tâp brown gludiog. Mewn dim o amser roedd Richardson yn cael ei lusgo allan o'r stabl, a'r cwdyn unwaith eto dros ei ben. Roedd yn fwy anghyfforddus y tro hwn am fod yr hosan a stwffiwyd i mewn i'w geg yn ei orfodi i anadlu drwy'i drwyn. Clywodd ddrws cerbyd yn agor, ac wrth glywed y twrw gwag, llawn atsain, dyfalodd mai fan fel un dyn fan wen ydoedd. Cododd y dihirod ef gerfydd ei freichiau i'w roi yn y cerbyd ond baglodd Richardson a tharo asgwrn ei goes oddi tan ei ben-glin yn boenus ar ymyl caled. Gorweddodd ar lawr y cerbyd yn mwytho'i goes â'i ddwy law rwymedig. Daeth y dynion eraill i mewn – tri ohonynt, amcanodd Richardson – yna gosodwyd yr esgid gyfarwydd i orwedd ar ben-ôl Richardson ac yntau'n gorwedd ar ei ochr fel babi yn y groth.

Wedi siwrnai fud o'r un math a'r un hyd yn union â'r un gyntaf, daeth y cerbyd i stop. Gyda'r injan yn canu grwndi, agorwyd y drws, a gafaelodd un o'r dynion yng ngholer crys Richardson a'i godi ar ei eistedd. Daliodd rhywun arall ei goesau gyda'i gilydd a'u clymu'n dynn yn rhyfeddol o gyflym a distaw. Dim sŵn tâp gludiog yn cael ei dynnu. Yna, cydiwyd yn Richardson yn arw a'i lusgo allan o'r cerbyd gan o leiaf ddau ddyn neu, efallai'r tri. Cafodd ei gario'n gyflym am hanner munud, a'r dynion yn anadlu'n swnllyd, cyn cael ei godi i sefyll ar ei draed. Torrwyd y tâp oedd am ei ddwylo, a thra daliodd rhywun nhw i lawr yn erbyn ei ochr, lapiodd un arall nhw'n dynn, ac yn ddistaw eto, yn erbyn ei goesau. Doedd gan Richardson ddim syniad beth oedd ym meddyliau'r dihirod, ac roedd eu hymddygiad wedi'i ddrysu yn llwyr.

Yna distawrwydd.

Arhosodd Richardson am funud, gan geisio peidio ag anadlu am ychydig er mwyn cael clustfeinio.

Distawrwydd.

Clywodd frân yn crawcian yn y pellter. Dechreuodd symud ei ddwylo, a darganfod nad oeddynt mor gaeth ag yr oedd wedi meddwl yn wreiddiol. Cyn pen dim roedd ei freichiau'n rhydd a thynnodd Richardson y cwdyn sidan tenau du oddi ar ei ben.

Safai mewn cae, yn wynebu porfa o wair tal. Edrychodd yn gyflym o'i gwmpas, ond heblaw am y frân ar goeden gyfagos, roedd Richardson ar ei ben ei hun. Edrychodd i lawr a sylwi mai cling-ffilm oedd yn clymu'i goesau ynghyd, ac wrth iddo geisio datod cwlwm y rhaff y tu ôl i'w ben, collodd ei gydbwysedd a disgyn i'r llawr. Gorweddodd yno yn llonydd yn edrych i fyny ar y frân, ac yna dyma DS Ian Richardson yn dechrau crio.

Brasgamai'r tri dyn ar hyd y lôn wledig yn ôl at y fan goch – roedd y drws cefn a drws y dreifar yn agored, a'r peiriant yn chwyrnu'n uchel wrth iddynt dynnu eu balaclafas a'u menig lledr duon. Gafaelai un ohonynt mewn rholyn o gling-ffilm. Waldiodd un arall y drws cefn ynghau, cyn i'r tri neidio i fewn i du blaen y fan, a chau'r drysau.

Clwm eiddil moch ellwng

'BE FFWC OEDD hynna, Carwyn?' gofynnodd Oswyn Felix oedd yn eistedd nesaf at Carwyn ar y sêt flaen ddwbl; roedd cledrau ei ddwylo'n ymestyn allan o'i flaen, yn erfyn ateb.

'Be ti'n feddwl?'

'Be ti'n feddwl, be dwi'n feddwl? Ti'n ffycin nyts, ta be? 'Dan ni'm yn ffycin Basra 'wan, 'sdi. Ti'm yn ca'l lladd pobol wili-nili yn ffycin north Wêls.'

Roedd Felix yn rhwbio'i wallt yn rhydd, a hwnnw'n seimllyd a fflat ar ôl iddo fod yn y mwgwd. Gosododd fys yn ei glust dde a'i ysgwyd yn rymus er mwyn rhyddhau rhywbeth yn ddwfn y tu mewn.

'Jest dangos bod ni'n siriys o'n i – nath laffing boi piso'i drwsus, do?'

Roedd Carwyn yn gwenu ar Felix a'i frawd Tecs yn ysgwyd ei ben yn anfodlon wrth yrru'r hen fan bost i fyny o'r pant gwledig am yr A55, ryw filltir tu allan i Felinheli.

'Bron i fi biso 'nhrwsus,' gwaeddodd Felix.

'Neith y copar 'na ddim byd, mae o'n meddwl bod y Padis 'di cidnapio'i frawd o, a fiw iddo fo ddeud ffyc ôl.'

Tynnodd Carwyn ddau ddarn o blastig llwyd allan o'i glustiau, ac ochneidiodd Felix yn uchel wrth sylweddoli bod Carwyn wedi bwriadu tanio'r dryll o'r cychwyn.

'Dim dyna 'di'r pwynt, Carwyn. Ti 'di mynd â method actin' braidd yn rhy bell yn fanna, ti'm yn ffycin meddwl?'

'Paid â gweiddi, Felix – tshil awt, man.'

Estynnodd Carwyn ei fraich allan o'i flaen a gwneud siâp gwn â'i law; gollyngodd ei fawd i'w danio.

'Pchiw!' dynwaredodd Carwyn wrth i'r bwled dychmygol hedfan i fyny'r A55 am Gaergybi. Roedd Oswyn wedi gweld ei dad, Keynes, yn gwneud yr un peth wythnos ynghynt.

''Di hwnna . . .' Sylwodd Oswyn ei fod yn gweiddi am ei fod wedi'i fyddaru dros dro, ceisiodd newid ei oslef, '. . . 'di hwnna ddim yn dod allan i chwarae eto, iawn?'

Ymdrechodd Felix yn galed i siarad yn ddistaw – teimlad tebyg i geisio siarad wrth wrando ar fiwsig gyda chlustffonau. Roedd hefyd yn pwnio'r gwn solat, oedd mewn gwain wrth ysgwydd Carwyn, trwy ddefnydd ei siaced.

'Chdi 'di'r bòs.'

'Ia, Cars,' dywedodd Tecwyn. 'Felix 'di'r ffycin bòs. Be ti'n feddwl ti'n neud?'

'Cymon, Tecs, dim chdi hefyd. Jyst chwara efo'r shiteds chydig, ddat's ôl.'

'Bach o hwyl chdi Cars . . .' dywedodd ei frawd wedyn, 'sy'n cael chdi'n ffycin tshycd awt o'r armi, sy'n ca'l chdi'n syspendyd o dy job pending fyrddyr encwaiyris. Rhaid i chdi gallio, Carwyn. Ffycin callia.'

Blydi hel, meddyliodd Felix, rŵan dwi'n ca'l gwbod am hyn. Diolch yn fawr, Misdyr Keynes, am roi benthyg dy fab seicotig i mi. Fatha rhoi Pitbwl Americanaidd i blentyn ei warchod, heb roi coler na thennyn iddo fo. O, a deud wrth yr hogyn druan mai ffycin Labrador ydio. Diolch yn fawr iawn.

'Ti'n gwbod be ddudith Dad, dwyt?' gofynnodd Tecwyn.

'Ocê, ocê, ocê. Ai gedit. Gad lonydd i fi, Tecs. Dwi'n gaddo byhafio. Tisho hwn?' Dechreuodd Carwyn estyn y Browning o'i siaced.

'Na. Cadwa'r ffycin gwn, Cars, jyst gwranda ar Felix.'

'Ocê, bro. Rojyr ddat.' Edrychodd Carwyn ar Oswyn, ei wefusau'n bwdlyd a chloriau'i lygaid yn hanner cau, fel plentyn yn dweud sori ar ôl cael row.

'Sticio at y plan,' dywedodd Oswyn.

Nodiodd Carwyn ei ben, a daliai ei frawd i ysgwyd ei ben ryw fymryn wrth iddo droi'r fan goch i fyny'r lôn ochr ac oddi ar yr A55.

Roedd y fan yn trolian, unwaith eto drwy Fodedern, a Tecwyn yn gofalu nad oedd yn gyrru'n rhy gyflym. Cymerodd dro i'r dde ac yna i'r chwith heibio i Lyn Llywenan, ac ymlaen am ryw hyd cyn troi i mewn i lôn fferm gul. Daeth y fan i stop wrth Fferm Cefntila yn wynebu'r stabl oedd â'i drws yn llydan agored. Edrychodd Felix ar Tecwyn, a syllai yntau'n ôl arno.

'Ti'n cofio cau'r drws?' gofynnodd Felix.

Rhychodd Tecwyn ei dalcen cyn dweud, 'Dwi'm yn siŵr – Carwyn?'

'Dwi'm yn cofio *peidio* cau'r drws,' meddai'r brawd bach.

'Ma 'na un peth yn saff,' dywedodd Oswyn Felix, 'hira'n byd 'dan ni'n isda'n fama, pella'n byd i ffwrdd fydd o 'di mynd. Cymon!'

Roedd Tecwyn ar fin agor drws y gyrrwr pan ddywedodd Oswyn, 'Tecs. Masg on.' Syllai ar Carwyn wrth ddweud hyn.

'Fysa fo'm yn nabod 'i fam 'i hun hefo'r gwn 'na 'di'i bwyntio at ei ben o,' dywedodd yntau'n ateb.

'Masg on, Carwyn,' meddai Tecwyn.

Yna roedd y tri yn trotian am y stabl. Wedi cyrraedd, cymerodd Tecwyn gip sydyn cyn cyfarwyddo'i frawd, â symudiad bach o'i ben, i fentro i mewn. Aeth yntau ar ei union, ac ymhen eiliad chwibanodd ddwywaith yn fyr. Yn amlwg roedd hyn yn golygu rhywbeth i Tecs, gan iddo ymlacio'n syth a cherdded i mewn i'r stabl. Dilynodd Felix ef. Roedd y postyn, lle bu Kevin Richardson yn sefyll â'i gefn wedi'i glymu iddo, ar lawr y stabl. Yn amlwg roedd y fwled wedi gwanhau'r pren ddigon i'r carcharor allu ei dorri'n ddau, gan mai dyma lle roedd yr hollt yn ymddangos. Roedd darn ucha'r postyn yn dal yn sownd i'r to ac yn hongian i lawr ar ongl od.

'Faint o amser sy 'na ers i ni 'i adael o?' gofynnodd Oswyn.

'Tua awr a hanner,' atebodd Tecwyn, 'bach mwy, ella.'

'Ocê, 'dan ni'n ganol ffycin nunlla'n fama. Ma 'na obaith i ni ffeindio'r twrdyn 'ma, os 'di o ddim 'di cael gormod o hedstart. Ac os 'di ddim yn mynd yn rhy dywyll. Ma hi bron yn chwartar i saith, gynnon ni hanner awr o ola da ar ôl. Ond os ydio'n manejo ffeindio'i hun 'nôl yn sifilaisêshyn, fydd hi'n anodd tracio'r ffordd 'nôl i fama ar ôl bod yn y twllwch.'

'A 'di o'm ots os ydio; os newn ni llnau pob três, 'di o ddim diawl o ots.' Wrth siarad, roedd Tecwyn yn cicio'r powdr soda a blawd ar hyd llawr y stabl.

'Ma'n lanach, ac yn well, ffeindio'r ffycar. Chdi ddudodd "stic tw ddy plan", ddylia ni drio'n gora i sticio i'r plan,' dywedodd Carwyn, gan edrych ar ei frawd.

'Fysa hynna'n haws os fysa Bili ddy Cid yn fama ddim wedi rhoi spanar yn y profyrbials, yn bysa,' dywedodd Felix gan afael yng ngweddillion y postyn. Roedd yn dal i deimlo'n flin hefo Carwyn, ac yn fwy felly oherwydd y ffoadur. Roedd o hefyd yn flin hefo fo'i hun am golli rheolaeth ar y sefyllfa. Roedd yn ymwybodol bod pethau'n gorfod gweithio'n berffaith neu gallai eu bywydau fod mewn perygl.

'Jys' gad hi, Felix,' dywedodd Tecwyn. 'Wat's dŷn is dŷn. Pan 'da ni allan yn chwilio, fi fydd Won, Carwyn fydd Tŵ a chdi fydd Thrî, ocê? Fel arall, dim siarad. 'Nôl yn fama am chwartar wedi saith.'

Edrychodd y tri ar eu watshys gan nodio unwaith.

Mae wedi myned yn abred gwyllt

ALLAN AR Y BUARTH dyma Tecwyn, wrth glician ei fysedd a phwyntio i'r chwith, yn cyfarwyddo Felix i archwilio adfeilion y ffermdy. Yna, wrth glician ei fysedd eto, gyrrodd Carwyn am y caeau ŷd oedd rhwng y ffermdy a'r stabl. Yn olaf, dyma Tecwyn yn curo'i frest unwaith ac yn cychwyn yn ôl i fyny'r dreif am y caeau gwaelod, oedd yn dir pori corsiog i ddefaid. Roedd y ddau frawd wedi diflannu cyn i Felix prin gael cyfle i ymateb, ac fe ymlwybrodd am y ffermdy gan deimlo mai ychydig iawn o obaith oedd o ddal Kevin yno.

Doedd dim drws ar ffermdy Cefntila, a dim gwydr yn fframiau bach sgwâr y ffenestri. Gallai Oswyn weld y grisiau pren noeth ugain troedfedd cyn cyrraedd y drws. Bad ffeng shŵi, meddyliodd, er nad oedd yn credu mewn pethau o'r fath roedd yn ymwybodol fod cael grisiau'n codi'n syth o'r drws ffrynt yn un o'r pethau gwaethaf y gallech ei wneud o ran ffeng shŵi. Ffynhonnell barod i'ch arian ddianc allan o'ch tŷ, neu ryw gachu tebyg – dyna roedd Luned wedi'i esbonio wrtho rhyw dro. Efallai mai dyma pam fod y ffermdy'n mynd â'i ben iddo, meddyliodd.

Edrychodd i mewn a sylwi bod y tŷ wedi'i rwygo yn

ddarnau, gydag un wal gerrig yn y canol ac un i'r dde o'r grisiau. Doedd yr un man addas i Kevin guddio ar y llawr isaf, a gwelai Felix nad oedd modd cuddio wrth gefn y tŷ gan fod y tyfiant drain, coed a dail poethion wedi meddiannu'r ardd ac yn prysur lenwi'r gegin gefn. Aeth Felix i fyny'r grisiau'n araf, gan ofalu nad oedd yn rhoi ei holl bwysau ar unrhyw ris, ond yn hytrach eu profi'n raddol bob yn un. Ceisiai hefyd gadw llygad ar y llawr uwch ei ben, rhag ofn bod Kevin Richardson yno'n disgwyl â rhywbeth trwm yn ei law.

Daeth y llofft ar y chwith i'r golwg – un llawr llwm heb waliau mewnol a'r to'n rhannol agored i'r elfennau. Doedd unman i guddio ynddi. Roedd gan Felix un ystafell ar ôl, yr un â'i drws ar dop y grisiau i'r dde. Roedd haen o rwbel mân ar y llawr heibio'r ris uchaf, ac o weld nad oedd olion traed ffres arno, ymlaciodd Felix fymryn. Cymerodd ofal, serch hynny, wrth fynd i mewn i'r ystafell olaf, ond doedd dim angen. Roedd yr ystafell yn gwbl wag, ar wahân i hen nyth brân yn y lle tân a phentwr o lechi oedd wedi disgyn oddi ar y to. Rhoddodd Felix ei ddwylo y tu fewn i'r balaclafa gwlanog a rhwbio'i fochau, yna cododd y mwgwd a'i adael fel cap am ei ben. Edrychodd drwy'r ffenestr fach gefn oedd â golygfa dros y caeau ŷd, a'r cnwd aeddfed yn symud mewn tonnau tlws yn yr awel fwyn. Meddyliodd am Carwyn yn tynnu'r dryll allan o'i siaced, a chalon Oswyn yn dechrau curo'n gyflym hyd nes iddo allu ei chlywed. Cofiodd y sioc ar wyneb Kevin Richardson, a theimlodd fymryn o euogrwydd wrth gofio'r ychydig bleser roedd hyn wedi'i roi iddo. Am eiliad, roedd popeth yn nwylo Carwyn, pe bai wedi saethu'r rafin annifyr ni fyddai modd dyfalu'r canlyniad. Efallai, pe bai Carwyn wedi saethu Kevin, y buasai'r brodyr wedi penderfynu cael gwared ar bawb, gan gynnwys Felix. Yna, wrth fyfyrio, dyma Oswyn yn sylwi ar rywbeth yn symud yn y pellter. Pen yn codi, efallai, yna'n diflannu'n ôl dan yr ŷd, rhyw led dau gae a thua chant a hanner o fetrau i ffwrdd.

Kevin Richardson, gorfod bod, meddyliodd Oswyn.

Yna, ar ymyl yr un cae, reit ynghongl eithaf ffrâm y ffenest, fe welai Carwyn yn cerdded yn bwrpasol, a'i ben i lawr. Mae o ar ei drywydd o, meddyliodd Felix. Roedd Carwyn efallai hanner cae i ffwrdd o'i ysbail. Gwyliodd Oswyn yr olygfa am ryw funud a Carwyn yn agosáu at y ffigwr tywyll yng nghanol y cae ŷd. Yna deffrôdd ddifrifoldeb y sefyllfa ym meddwl Oswyn wrth i rywbeth yn llaw Carwyn ddal pelydrau olaf yr haul yn machlud o'u blaen a fflachio'n wyn am eiliad. Roedd y dryll yn ei law.

Llaw mab yn llawes ei dad

GWIBIODD OSWYN I LAWR y grisiau mewn tair step, a sglefrio heb golli'i gydbwysedd ar y llawr brwnt, ac allan o'r ffermdy. Rhedodd nerth ei draed o amgylch y tŷ a heibio'r stabl gan neidio dros giât haearn rydlyd a wichiodd ei phrotest. Roedd ei frest yn llosgi wrth iddo frwydro am anadl, a difarai ei fod wedi esgeuluso'i redeg i gadw'n heini ers y gaeaf. Dwi'n falch bo' fi 'di stopio smocio o leia, meddyliodd. Roedd yn amlwg pa ffordd roedd y ddau wedi'i chymeryd gydag olion traed yn tywyllu'r glaswellt ar ymyl y cae. Yna daeth yr olion i ben. Gorfu i Oswyn gymryd rhai camau'n ôl cyn dod o hyd i'r llwybr newydd i mewn i ganol yr ŷd. Arhosodd i glustfeinio am ychydig cyn mentro, gan obeithio na ddeuai ergyd o'r gwn; doedd dim twrw, heblaw am yr ŷd yn sisial. Rhuthrodd yn ei flaen, a'r cnwd aeddfed yn chwipio'i fochau'n ysgafn. Ymhen dim roedd yn sefyll â chefn Carwyn yn ei wynebu. Roedd o'n eistedd, a rhwng ei bengliniau roedd Kevin Richardson a'i goesau'n curo'r llawr. Gwelodd Oswyn y dryll ar lawr a mwgwd Carwyn yn cadw cwmni iddo. Wrth gael ei atgoffa, tynnodd Felix ei falaclafa'n sydyn dros ei wyneb.

'Nymbyr Tŵ,' bloeddiodd Felix yn ei acen Wyddelig orau.

Trodd Carwyn ei ben a gwelodd Felix y gwallgofrwydd anifeilaidd yn berwi fel haint yn llygaid y cyn-filwr. Gwelodd hefyd fod ei ddwylo o gwmpas gwddw Richardson a wyneb hwnnw'n ddigon piws i fod o fewn dim i gyrraedd pen ei daith. Doedd yr un dewis arall yn cynnig ei hun, felly taflodd Oswyn ei ddwrn de gorau am dalcen Carwyn. Cysylltodd yn berffaith â'i darged, a hedfanodd Carwyn, yn ddiymadferth drwm, i'r chwith gan ryddhau Richardson o'i afael. Syweddololodd Oswyn fod y tâp yn dal dros gwefusau Richardson, a deallodd pam nad oedd wedi llwyddo i ddiflannu ar ôl dianc o'r stabl. Roedd ei ddwylo'n dal wedi'u tapio y tu ôl i'w gefn, gan wneud rhedeg yn gyflym dros dir amaethyddol yn amhosib heb faglu a cholli cydbwysedd. Roedd yn anadlu drwy'i drwyn fel tarw lloerig, a'r llysnafedd yn rhubanu allan ohono. Roedd ei lygaid yn adlewyrchu ei ddychryn tra ceisiai ei draed wthio'i gorff ymhellach oddi wrth Carwyn. Roedd hwnnw'n griddfan yn uchel wrth iddo ddechrau ailymuno â'r byd hwn. Gwyddai Felix nad oedd dim byd arall y gallai'i wneud erbyn hyn, ac estynnodd y gyllell Stanley allan o'i boced.

'YyMmmYhyMmmm!' ymdrechodd Kevin Richardson i siarad drwy'r hosan a'r tâp, gan gicio'i hun ymhellach i mewn i'r ŷd tra oedd yn dal ar ei gefn. Cafodd Felix afael ar ei fraich chwith a'i droi'n gyflym ar ei fol, gan osgoi cael ei gicio gan y coesau afreolus. Gafaelodd yn ei ddwylo wrth gydio yn y tâp, a'u codi nes bod esgyrn ei ysgwyddau'n cyfarfod.

'MmMmmwwwwwwwwwYHWWWWww!'

Roedd yn amlwg fod y diawl bach yn panicio'n lân, ond o wybod beth roedd am ei wneud nesa, nid oedd Oswyn yn cydymdeimlo. Torrodd y tâp â'i gyllell a gwahanu dwylo Richardson. Trodd yntau ar ei gefn ac edrych ar Felix, a'i fwgwd wedi'i osod ychydig yn gam ar ei wyneb. Defnyddiodd Felix y gyllell i bwyntio i'r dde drwy'r ŷd gan gyfeirio â'i ên i'r un cyfeiriad. Yna cododd fys cyntaf ei law chwith at ei wefus mewn llinell gyda'i drwyn. Ymdrechodd Kevin Richardson i godi ar ei draed heb dynnu'i lygaid oddi ar Felix, a golwg llawn dryswch a drwgdybiaeth yn gymysgedd gwyllt ar ei wyneb. Diflannodd, yn ei gwrcwd, i mewn i'r ŷd.

Cododd Felix y Browning oddi ar y llawr a thynnu'r clip dal bwledi. Gwagiodd y clip gan roi'r pum bwled ym mhoced fewnol ei siaced, yna agorodd yr ochr a thynnu allan y fwled oedd eisoes yn y siambr. Taflodd y dryll fel carreg ar lin Carwyn, oedd yn gorwedd wrth ei ymyl yn griddfan ac yn dal ei ben. Â'r haul wedi machlud, a'r cymylau ysgafn yn binc trawiadol yn erbyn y glas tywyll, cerddodd Oswyn Felix yn ôl am y ffermdy.

Roedd Oswyn Felix wedi bod yn eistedd ar hen slîper rheilffordd y tu allan i ddrws y stabl am rai munudau pan ddaeth Tecwyn i'r golwg i lawr y lôn fferm. Gwelodd fod Felix wedi tynnu'i falaclafa, a dyma fo'n gwneud yr un peth.

'Dim byd?' holodd Tecwyn.

'O, na. I'r gwrthwyneb, Tecs, lot o byd, lot fawr o blydi byd.'

'Be ti'n feddwl?' Edrychodd ar Felix gyda gwên ddryslyd.

'Ga'th Carwyn afael yn'o fo, yn y cae cefn 'ma.' Sticiodd ei fawd allan a chyfeirio at ochr y stabl. 'Dwi ddim yn jocian, Tecs; fysa fo 'di'i ladd o os fyswn i ddim 'di ddal o mewn pryd.'

'Dal o, be ti'n feddwl, dal o?'

'Stopio fo, Tecs. Stopio'r ffycin nytar brawd 'na sgin ti rhag mwrdro'r lwmp o gachu, Richardson 'na. Stopio fo.'

Eisteddodd Tecwyn ar fympar cefn yr hen fan bost. 'Paid â ffwcian.'

'Ai shit iw not. Pan nes i gyrraedd roedd Carwyn annwyl yn tagu'r eiliadau ola allan o'r boi, ac yn enjoio'i hun wrth neud hefyd.'

'Stopio fo? Sut ddiawl nest di'i stopio fo?' Roedd Tecwyn yn ysgwyd ei ben yn ddiarwybod iddo'i hun.

'Roish i'r bynsh gleta allwn i idda fo. 'I lorio fo am chydig. Digon hir i mi allu gadael i'r cwdyn sleimi 'na fynd.' Roedd Felix wedi tynnu'i faneg a bellach roedd yn rhwbio cymalau'i law dde a oedd wedi cochi a chwyddo rhyw fymryn.

'Gadael idda fo fynd?'

'Ia, Tecs,' dywedodd Felix, yn codi'i lais rhyw ychydig.

'Be? Ti'n meddwl, ddylia fod fi 'di gadael i Carwyn 'i ladd o? Neu roi cyfla arall idda fo? Doedd 'na ddim opsiwn arall.'

'Ocê, ocê. Cytuno.' Cododd Tecwyn a cherdded tuag at y bwlch rhwng y stabl a'r ffermdy; edrychodd allan ar hyd y caeau, yr ŷd yn symud fel llyn mewn storm yn y gwyll. 'Lle ma Carwyn rŵan, ta?'

'Dal allan yn fan'na, am wn i. Roedd o'n dod ato'i hun pan 'nes i adal.'

'Pam nath o ddim jys' saethu'r hogyn?'

'Am 'i fod o am 'i ladd o heb i ni ga'l gwbod, siŵr o fod.'

'Be sy'n 'i stopio fo rhag mynd ar ei ôl o eto, a'i saethu fo?'

Estynnodd Felix y bwledi o'i boced a'u dangos i Tecwyn. 'A'r ffaith bod Linford Christie ddim yn mynd i allu dal i fyny hefo'r Richardson 'na. Unwaith 'nes i ryddhau'i dd'ylo fo, roedd o fatha milgi allan o drap.' Rhoddodd ei law allan mewn llinell syth i awgrymu'r cyflymder. 'A dduda i hyn wrtha chdi, Tecs. Dwi'm yn mynd i chwilio am Carwyn allan yn fanna yn y twllwch. Now ffycin tshans.'

'Os nywn ni glirio'r stabal, a Carwyn heb ddod 'nôl erbyn i ni ddarfod, wel, 'i lwc awt o 'di hynna.' Aeth Tecwyn i boced cefn ei jîns ac estyn pâr o fenig lledr duon. 'Ty'd Felix, gynta'n byd . . .'

Cymerodd y ddau chwarter awr i glirio olion gweithgareddau'r dydd o'r stabl, gan gynnwys tyllu bwled Carwyn allan o'r postyn a rhoi cadair gefn uchel, dderw Felix – a ddefnyddiwyd ynghynt i gaethiwo DS Richardson – yng nghefn y fan goch. Rhwbiodd Tecwyn bob arwyneb ac eitem yn lân – unrhyw beth a allai gynnwys olion bysedd, gan gynnwys handlenni'r drws. Ddywedodd y naill na'r llall yr un gair wrth iddynt weithio'n gyflym. Roedd Felix yn gobeithio, ac yn teimlo'n eitha ffyddiog, bod Tecwyn yn falch ei fod wedi ymyrryd i nadu ei frawd rhag llofruddio. Ond er bod Tecwyn yn gymeriad mor wahanol i'w frawd, roedd y syniad fod gwaed yn dewach na dŵr yn rhwystro Felix rhag ymlacio'n llwyr yn ei gwmni. Roedd y tensiwn yn amlwg. Wrth godi'r postyn yn ôl yn fertigol, dyma Felix yn dweud,

'Gwranda Tecs. Sori deud hyn, ond ma 'na rwbath yn siriysli bod ar Carwyn 'sdi. Dwi'n meddwl bod chdi'n gwbod hynna, dwyt?'

Roedd Tecwyn yn sefyll yng nghanol y stabl a lampau gwaith *halogen* wedi'u diffodd ymhob llaw. 'Grabia'r lamp ola 'na, Felix. Hen bryd i ni fynd.' Y golau gwaith wrth ymyl Felix oedd yr unig oleuni ar ôl yn yr ystafell, a phan gydiodd Felix ynddo dechreuodd y waliau ddawnsio.

''Dan ni'n iawn, yndan?' holodd Felix gan synhwyro eu bod, os oedd yn darllen lliw ei lais yn gywir.

'Ty'd,' dywedodd Tecwyn.

Erbyn hyn roedd hi'n ddu bitsh tu allan. Roedd hi'n beth rhyfedd i drigolion y ddinas beidio â gweld lliw oren goleuadau'r stryd yn gwanhau wrth anelu am y nef. Roedd y lamp *halogen* yn creu bwgan anferth allan o gysgod Tecwyn o'i flaen. Arhosodd Felix iddo roi'r lampiau yng nghefn y fan a dod o hyd i'w oriadau cyn diffodd ei lamp. Nid oeddynt wedi synnu o gwbwl fod Carwyn heb ymddangos, a symudodd y fan bost goch yn araf ar hyd y lôn o Ffermdy Cefntila.

Roeddynt yn ôl ar yr A55 cyn i Tecwyn dorri ar draws y distawrwydd.

''Nes' di'n iawn, Felix. Ffyc, 'swn ni'm yn dy feio di tasa chdi 'di lladd Carwyn a'i adael o allan yn y cae 'na.'

'Dim dyna ddigwyddodd, Tecs. Dwi'n ddim mwy tebol o ladd rhywun na chditha.'

Distawrwydd unwaith eto.

'Dwi 'di lladd pobol, Felix. Be ti'n feddwl ma rhywun yn 'i neud yn yr armi? Dwi 'di lladd hogia – thyrtîn, ffôrtîn. Hen ddynion efo ffycin ffyn bugail yn 'u d'ylo. Dwi 'di saethu fewn i ffycin grŵp o bobl, dim syniad be o'n i'n anelu amdan, jyst cachu 'nhrwsus yn trio peidio ca'l y'n lladd. Ma pawb yn medru lladd, jyst mater o ga'l yr amgylchiada cywir ydio. Coelia fi, Felix, dwi wedi lladd.'

Edrychodd Felix ar Tecwyn am eiliad, a gweld deigryn trwchus yn treiglo i lawr ei foch. Edrychodd yn ôl ar lygaid cathod yr A55.

''Nest ti ddim mwynhau lladd, Tecs. Doeddach chdi ddim yna i enjoio dy hun. Ma bod yn soldiwr yn amhosib, dwi'n gwbod. Hannar ffrindia fi 'di bod i fewn yn 'rarmi. Prin dim un ohonyn nhw 'di dod allan 'run fath. Ti'n mynd i fewn yn ifanc ac yn dwp, ti'n dod allan yn gwbod gormod ac yn ffycd.' Chwarddodd Tecwyn yn chwerw ar hyn. 'Ond ma genna i ofn bod Carwyn yn wahanol, Tecs.'

'Ma Carwyn 'di bod yn llechio llond bagia Kwik Save o cathod bach i fewn i'r Fenai oddi ar Pîar Bangor ers pan oedd o'n ddeg oed,' atebodd Tecwyn, ei lais yn ceisio celu'i emosiynau. 'Mam oedd bia'r holl gathod 'na acw. Pan farwodd hi flwyddyn dwytha, nath Dad jyst 'u cadw nhw o gwmpas iddi hi rili. Os fasa Mam yn gwbod bod Carwyn wedi bod yn cael gwared o'r rhai bach, fysa fo 'di colli strip o groen, dwi'n deu' 'tha chdi.' Roedd llygaid Tecwyn yn dechrau cochi a dyfrio. 'Gafodd o flwyddyn i ffwrdd o adra pan oedd o'n thyrtîn am gloi titshyr jiograffi, Miss Evans, yn y sdesionari cybyrd am ddwy awr a bygwth 'i rêpio hi. Pan ddoth adra'n ôl, roedd o fel y Carwyn heddiw. Wedi dysgu cuddiad yn well. Gwynab fel statiw. Byth yn codi twrw, byth yn cwffio.' Edrychodd Tecwyn ar Felix, ac wrth weld y dwyster yn ei wyneb, roedd Felix yn amau mai dyma'r tro gyntaf erioed i Tecwyn sôn am hyn. Teimlai Felix fel offeiriad yn y gyffesgell. 'Wedyn dyma un o hogia'r TA yn boddi pan oedd o'n treinio fyny wrth Beddgelert. Roedd Carwyn yna, ac yn casáu'r boi 'ma. Ond doedd neb yn amau dim, heblaw amdan fi. Rodd o mor hapus y wîcend yna, sa chdi'm yn coelio. Ond nath o'm deud dim byd.'

'Ffycin hel,' ebychodd y 'Tad Felix'.

‘Erbyn i Carwyn fynd i’r armi dwy flynadd yn ôl, roeddan ni’n Affganistan, raip cilin grownd, neb yn cwestiynu cwpwl o dodji cils. Ond mi gafodd Carwyn tshyc-awt ar ôl naw mis, no cwestiyns ascd or ansyrd. Dwi ’di bod yn regilar armi neu Twenti Secynd SAS am bum mlynadd, ac erioed ’di gweld na clywad am neb yn cael distsharj fel’na o’r blaen. Wiyrd, ti’mbo.’

‘Ffycin hel, Tecs.’

‘Hei, Felix, ’di o’m fatha bod fi’n gwbod dim byd – jyst yn rhoi dau a dau efo’i gilydd, ti’mbo?’

‘Ia, ond dwi’n dod i fyny hefo pedwar. Gad i fi gesio be ’di’r ffigwr sgin ti.’

‘Wedyn, ar ôl chydig o fisoedd, dyma ni a’r Iancs yn infedio Irác . . .’

‘Ffordd arall rownd . . . Sori, ia, caria mlaen.’

‘Ac roedd Carwyn yno fel siót. A rŵan mae o adra, y sics mynths on ac off ’ma medda fo.’

‘Ond ti’n ama rwbath?’

‘Dwi ’di siarad hefo cwpwl o’n hen fêts armi sydd yn gneud contract wyrc allan yn Irác. Tydyn nhw rioed ’di clywad am gontract fel’na, ti’mbo?’

Roedd y fan yn croesi Pont Britannia.

‘Be am dy dad? ’Di o’n gwbod rwbath?’

‘Dwi ’di bod i ffwrdd am wyth mlynadd, Felix. Dwi mond ’nôl ers i Mam farw. Ma’r dyn yna’n ffycin enigma. ’Di o rioed ’di twtshiad bys bawd yn’o fi, ond dwi ffycin ofn o. Mwy na neb. Erioed. A dwi ’di gneud indiwrans treinin ac interygêshyn resistans efo’r SAS. Ella ’i fod o’n edrych yn helples yn y gwely 'na, fel rhyw ffycin bîtshd wêyl, ond mae o yn *nabod* pobol, Felix.'

'Ocê, ti'n dychryn fi rŵan, Tecs.' Roedd dwylo Felix i fyny o flaen ei wyneb, fel pe bai'n disgwyl i bêl ddod trwy'r ffenest flaen. 'Be ti'n ddeud ydi bod dy dad yn gwbod yn iawn be 'di Carwyn.'

'Ia.'

'Ers pryd ti 'di bod yn meddwl hyn?'

'Ers idda fo entyrteinio dy ffycin hêr-breind scîm di wsos o'r blaen.'

'Jîsys, Tecs. Diolch am ffycin rannu.' Roedd Oswyn yn ysgwyd ei ben mewn anghrediniaeth a'i geg ar agor. 'Ma'r holl beth 'ma 'di chw'thu fyny yn 'yn gwyneba ni rŵan, do?'

'Gwranda, Felix.' Arhosodd Tecwyn i'w gyd-deithiwr stopio tuchan. 'Dwi 'mond yn deud hyn i gyd wrtha chdi . . . Ti'n gwrando?'

'Yndw.'

'Dwi 'mond yn rhannu hyn efo chdi am bod fi yn dy drystio di. Do'n i'm yn nabod chdi dim mwy na ffycin Prins Tsharls pan ddoist ti at ddrws sefnti-tŵ pythefnos 'nôl. Ond dwi'n dallt rŵan dy fod ti'n foi strêt. Bach yn naïf, maind.'

'Diolch, Tecs. Dwi'n meddwl.' Pwyntiodd yn ddifater i'r chwith, at yr arwydd ffordd. 'Awn ni ar Ffordd Treborth, ia? Dwi angen dropio off y gadar yn y Penrhyn.'

'Ia, iawn.'

Gyrrodd Tecwyn ar hyd y ffordd ddistaw ar hyd glan y Fenai am Fangor Uchaf, y distawrwydd rhwng y ddau yn bwydo oddi arno'i hun, nes bod y ddau ohonynt yn gyfforddus ac yn falch o roi taw ar y trafod am ychydig. Pan gyrhaeddodd y fan y Penrhyn Arms, dyma Tecwyn yn bacio'r cerbyd i fewn i'r lôn gul ar ochr yr adeilad. Aeth Felix allan, tynnu'r gadair o'r cefn a'i gosod wrth y drws cefn. Dychwelodd i'r fan.

''Nôl ffordd dothon ni,' dywedodd Felix.

'Lle 'dan ni'n mynd nesa?' gofynnodd Tecwyn.

'Ma'r fan 'ma'n gorfod mynd. Fedran ni ddim bod yn siŵr bod Richardson heb watshiad ni'n cyrraedd y stabal. 'Di gneud mental nôt o'r nymbyr plêt, ella.'

'Ma'r platia'n lân – oddi ar ryw hipi mobîl tu allan i Safeway, medda Carwyn.'

'Beth bynnag, gwell bod yn saff. Dwi'n nabod boi neith 'yn helpu ni, no cwestiyns asgd.'

'Ma Dad yn eitha ffond o'r fan gachlyd 'ma, Felix.' Edrychodd Tecwyn ar Oswyn Felix a dechrau chwerthin yn ysgafn. 'Gei di ddeu' 'tha fo.'

'Ma'n hen feic mynydd i'n werth mwy na'r fan 'ma. Be, sgynni hi ryw sentimental faliw iddo fo?' Edrychodd 'nôl ar Tecwyn. 'O'dd o'n arfar bod yn bostman neu rwbath?'

'Ffifftîn iyrs yn ôl, reit, dyma Dad a'i fêt, oedd yn bostman ar y pryd . . .' Roedd Tecwyn yn gwenu a chwerthin wrth adrodd yr hanes, '. . . yn robio'r fan 'ma, pythefnos cyn Dolig. Dad yn clymu'i fêt i fyny, twatio fo o gwmpas chydig; mêc it lwc gwd, a ca'l getawê efo shitlôds o fowtshyrs Marcs and Sparcs, twenti grand's wyrth. Ffast fforwyrd eitîn mynths, a ma ffrind Dad, sy dal yn bostman bai ddy wei, yn infformio fo bod yr hen fans post yn ca'l 'u ocsiynïo off.'

'A ma dy dad yn prynu hon.' Tapiodd Oswyn y dash. 'Be i gym'yd y pis?'

'Wel, os ti isho rhoid o fel 'na, ia.' Taflodd Tecwyn gipolwg ar Oswyn, yn amlwg braidd yn anfodlon nad oedd yn ffeindio'i hanesyn yn ddoniol. 'Ti'm yn nabod Chris R. Keynes, 'sdi Felix. Honno 'di un o'r chydig storis ffyni fedra i 'i rhannu efo chdi amdan 'y nhad.'

'Blydi el, Tecwyn. Ti'n gneud idda fo swnio fel micstiyr o Cyrnyl Cyrts ac artsh nemesis Sherloc! Ffycin pwy ti'n galw fo, Moriarti?'

'Ma hynna'n abawt rait,' atebodd Tecwyn.

'Troi fyny fama,' dywedodd Felix gan bwyntio at lôn gul ugain metr o'u blaenau ar y chwith. ''Swn i'n mynd i ffyrst os fyswn i'n chdi. Tipyn o rallt.'

Ufuddhaodd Tecwyn, a chwyrnodd y fan bost i fyny'r lôn gul serth a'r düwch unwaith eto'n eu llyncu. Ymhen ychydig rhedai'r lôn dan bont reilffordd a fforchio o'u blaenau.

'Chwith,' meddai Felix.

Aeth y fan i'r chwith a dyma'r lôn yn culhau ymhellach a'i chyflwr yn gwaethygu'n sylweddol gan wneud i'r teithwyr siglo yn eu seddi.

'Lle 'dan ni'n mynd?' gofynnodd Tecwyn eto.

‘’Dan ni yna,’ atebodd Felix gan bwyntio at giatiau metel dwbl, deg troedfedd o daldra, ar y dde. Roedd weiran bigog ar hyd top y giatiau, a chlo anferth yn cysylltu’r gadwyn haearn bwrw swmpus yn eu canol. Daeth y fan i stop a gwyrodd Felix ar draws a chanu’r corn. Aros. Canodd Tecwyn y corn y tro hwn. Cyneuwyd rhyw lifoleuadau gan beri i’r ddau wasgu’u hamrannau at ei gilydd wrth i’r byd tu hwnt i’r giatiau ymddangos. Iard goncrit fawr wedi’i hamgylchynu â chytiau o wahanol faint ac adeiladwaith. Ac yng nghanol y cytiau safai tŷ bach syml, pedair ffenest a drws. Agorodd y drws a daeth dyn bychan, canol oed allan yn gwisgo oferôls glas ac esgidiau trymion. Aeth Oswyn allan o’r fan ac at y giât.

‘Felix, chdi sy ’na?’ holodd y dyn mewn llais main.

‘Misdyr Watt, da chi’n iawn?’

‘Rêl boi, rêl boi. Do’n i ddim yn nabod y fan ’na sgin ti, chwaith,’ dywedodd Watt gan chwarae hefo’r gadwyn a chwilota am oriadau ym mhoced ei oferôls.

‘Isho cymwynas, Misdyr Watt; sori galw ar fyr rybudd.’

‘No rhybudd, ti’n feddwl Felix.’ Dyma Watt yn chwerthin ei lais yn gwichian fel larwm mwg. ‘Paid â phoeni, paid â phoeni. Ty’d â hi i fewn, rownd y bac, i’r dde.’ Camodd Watt am yn ôl gan dynnu’r ddwy giât yn agored.

Chwifiodd Felix ei fraich yn yr awyr gan ddangos y ffordd i Tecwyn. Gyrrwyd yr hen fan i mewn i’r iard, a dyma Tecwyn yn stopio a'i ddrws wrth ymyl y mecanic, ac agor ei ffenest.

'Arglwydd Tecwyn Keynes, myn uffar i.'

'Dic.'

'Ti'n cadw'n o lew, Tecwyn bach? Ma 'na, faint, siŵr o fod pum mlynadd, ydi dwa'?'

Daeth Felix o amgylch cefn y fan. 'Be sy'n bod?'

'Dal i fyny efo Tecwyn bach yn fama, dyna i gyd, Felix. Do'n i ddim yn gwbod bod chi'ch dau'n ffrindia?'

'Do'n i'm yn gwbod bod chi'n nabod 'ych gilydd chwaith. Fysa chdi 'di medru deud rwbath, Tecs.'

'Cymon Felix, os ti isho ca'l gwared ar fotor ar fyr rybudd ym Mangor, lle arall ti'n mynd i fynd? Ma Dic a Dad yn mynd reit yn ôl, dydach Dic?'

'Roedd Chris a fi yn Ysgol Ffriars efo'n gilydd, o'dd o 'bach yn hŷn na fi, cofia. Pryd ddest ti'n ôl o'r Midyl Îst, Tecwyn? Affganistan, ia?'

'Irác ddwytha, Dic. Blwyddyn dwytha' pan ddaru Mam farw.'

'O ia, sori clywad am hynna, dynas a hanner.'

'Lle tisho'r fan 'ma? Rownd y cefn, ia?'

'Ia, ffwrdd â chdi, Tecwyn bach.'

Roedd y fan a Dic Watt yn prysuro am y sied fawr agored i'r dde o'r tŷ gan adael Felix yn sefyll wrth y giât. Meddyliodd am sut yr oedd Tecwyn wedi celu gwybodaeth oddi wrtho ar sawl achlysur, iddo wybod amdano, a phenderfynodd droedio'n fwy gofalus o'i gwmpas. Roedd ganddo gwestiwn i'w ofyn i Dic Watt hefyd.

'Misdyr Watt?'

'Felix?' Trodd Watt i edrych ar Oswyn wrth geisio dod o hyd i'r swits golau cywir wrth agoriad y sied.

'Dach chi 'di cael unrhyw dîlings efo DS Richardson, Bangor 'ma?'

'Richardson, Richardson . . . Richardson ddudest ti?

'Ia, Ian Richardson. Tua fforti, gwallt brown yn risîdio, ffaif eît. Siarad Cymraeg, acen Sir Fflint.' Daeth atsain fas i lenwi'r sied dywyll wrth i Tecwyn gau drws y fan ac ymuno â'r ddau.

'Yndw. Nabod o'n iawn, yn rhy dda. Poen yn din. Lecio gwbod busnas pawb, lecio dal chdi allan yn deud clwydda a ballu. Dim sens of hiwmyr.'

'Swnio fel yr un boi; fysa chi'n deud bod o'n drewi?'

'Yn pluo'i nyth 'i hun, ti'n feddwl?'

'Ia, bac handars, ffrindia ochor rong i'r ffens. Unrhyw beth dodji.'

'No wê. Blydi copar strêt, dyna dwi 'di weld, a dyna dwi 'di glywad.'

Dechreuodd bol Felix gosi'n reddfol. Edrychodd ar Tecwyn ac amau'n syth nad oedd hyn yn newydd iddo, gan i Felix sylwi ar dop ei fochau'n gwrido. Gwelodd hefyd ei fod yn ceisio cuddio'i dymer wrth ysgwyd ei ben a chodi'i ysgwyddau yn theatrig.

'Dach chi'n gwbod rwbath am 'i frawd o, Kevin?

'Felix bach, helpio fo efo'i incweiyris o'n i, ddim hefo'i ffamili trî.'

'Ia, digon teg,' dywedodd Felix.

'Da 'wan Dic, ffamili trî,' chwarddodd Tecwyn, a synhwyrai Felix fod elfen o ryddhad yn ei lais. Daeth y goleuadau ffliworoleuo ymlaen yn y sied, a dechreuodd y drws awtomatig anferth ddadrolio ynghau. Camodd Felix i fewn, funud olaf, gan ymuno â'r ddau arall.

'Be tisho fi neud efo'r lwmp o fetal coch 'ma ta, Felix?'

'Dwi'm yn gweld dim byd. Am be ti'n sôn, Dic?' gofynnodd Tecwyn.

'O. Fel'na ma hi,' dywedodd Watt gan rwbio'r smotyn moel ar gorun ei ben.

'Sut ti'n mynd o gwmpas peth felly?' gofynnodd Tecwyn.

'Llosgi 'di'r ffasta, ond ma hynna'n gallu tynnu sylw. Sgenna i ddim cryshar – mi fysa hynna'n gneud bywyd yn rhy hawdd. Dismantlio hi 'di'r opsiwn arall – joban tair, pedair awr.'

'Does 'na ddim brys gwyllt, Misdyr Watt, cyn bellad â'i bod hi'n cadw allan o'r golwg yn y cyfamser,' dywedodd Felix.

'Paid â poeni dim, Felix bach, wyri not, wyri not.' Roedd Dic Watt yn syllu ar y fan ac yn rhwbio'i ddwylo â chadach budr.

''Sgin ti lônar gawn ni, Dic?' gofynnodd Tecwyn. 'Neu lifft 'nôl i'r dre 'sa ora. Be ti'n feddwl, Felix?'

'Pam na gerddwn ni? 'Di o'm yn bell trwy'r caeau, jys' dilyn y reiltracs.'

'Ma 'na lwybr jest lawr lôn,' dywedodd Watt. 'Gewch chi fenthyg tortsh genna i – hen beth, dwi'm isho hi'n ôl.'

Ef a las, a gafas rybudd; ac ni las, a'i cymerodd

■

FFARWELIODD Y DDAU â'r mecanic, Tecwyn yn arwain y ffordd a Felix yn dilyn golau'r tortsh wrth iddo naddu llwybr sigledig drwy'r tywyllwch. Roedd hi'n noson glir, eitha oer a daliai Oswyn ei afael yn nhop ei siaced gaci i nadu mynediad i'r gwynt main. Roedd y ddau wedi llosgi eu menig a'r balaclafas yn ffwrnais llosgi coed AGA hynafol Dic Watt, wrth iddo chwilota am y tortsh. Wedi cerdded yn dawel am ychydig, sylwodd Oswyn ei fod yn syllu'n guchiol o'i flaen ar ei gydymaith. Roedd wedi colli'r teimlad cysurus hwnnw sy'n dod o gael rheolaeth dros bethau. Teimlai Felix fwyfwy fel petai'n chwarae rhan flaenllaw mewn gêm o ddyfais rhywun arall, ac nad oedd wedi cael gwybod y rheolau, na phwy arall oedd yn cymryd rhan. Roedd yn sicr fod Tecwyn, o leiaf, yn gwybod llawer mwy nag ef ac yn siŵr o wybod erbyn hyn bod Felix yn dechrau'i ddrwgdybio. A'r ddau wedi bod yn dilyn y rheilffordd am yn agos i filltir, dechreuodd goleuadau stryd a'r tai ar cyrion Bangor Uchaf ymddangos o'u blaenau. Trodd Tecwyn i wynebu Felix a defnyddio'r tortsh i greu pwll o olau gwyrdd ar y glaswellt rhyngddynt.

'Gwranda Felix,' dechreuodd Tecwyn, heb fod allan o wynt o gwbl, yn wahanol i Oswyn Felix. 'Dwi 'di teimlo'r dagyrs 'na'n fy nghefn yr holl ffordd i fyny o le Dic. Be sgin ti ar dy feddwl?'

'Cymon, Tecs. Ffycs sêcs, dwi'm yn dwp 'sdi.' Meddyliodd Oswyn am hyn am ryw eiliad cyn ategu, 'Wel ella mod i, ca'l fy hun yn micsd yp efo'r ffycin Keynesys. Be ffwc sy'n mynd ymlaen yn fama, Tecwyn?'

'Dwi'm yn gwbod y stori i gyd, onest. Ma gin Dad a Carwyn ajenda gwahanol i chdi; iwsio chdi oedd Dad, Felix. Confiniynt pôn, hawdd i sacryffeisio tasa angen.'

'Be ti'n feddwl, ti'm yn gwbod y stori i gyd?'

'Ma Dad yn gwbod 'na i'm gneud jest unrhyw shit ma o isho i fi neud. Ac mae o'n gwbod neith Carwyn absoliwtli unrhyw beth, unrhyw beth, Felix. Coelia fi neu beidio, dwi along i neud yn siŵr bod petha ddim yn mynd yn rhy ofyr ddy top. Fi 'di'r falf ar ben y preshyr cwcyr.'

'Wel, ga i awgrymu bod dy ffycin falf di 'di ffycin blocio, Tecs. Be wyt ti *yn* wbod? Oeddach chdi'n gwbod yn iawn bod y copar 'na ddim yn corypt, oedd o yn blaen ar dy wyneb di pan ddudodd Dic Watt . . .'

'Hang on, hang on, Felix. Hyn dwi'n gwbod dwyt ti ddim ocê?'

'Cari on.'

'Dad ddaru ofyn i Steptoe yrru chdi i ffordd o. Doedd Steptoe ddim yn gwbod pam, ond roedd o'n hapus i neud am 'i fod o'n dallt fod Christopher Keynes yn . . . ti'mbo . . . gets ddy job dŷn.'

'Ocê, so dwi'n dod â fy stori drist at dy dad, so pam mae o'n cymryd diddordeb?'

'Tydio ddim yn gif y ffyc am dy fêt di, Felix. Chdi 'di'r twlsyn i'r joban sy gynno fo dan sylw. A ti wedyn yn mynd ac yn sypleio'r plan a'r bôls a'r twpdra i siwtio.'

'Dwi ddim yn dallt.'

'Pan dda'th Steptoe'n ôl atach chdi efo enw Kevin Richardson a'i frawd, y dodji DS, lle ti'n meddwl oedd o'n ca'l 'i inffo?'

'Christopher Keynes?'

Nodiodd Tecwyn. Teimlodd Felix ias yn teithio lawr ei gefn, nid oedd yn siŵr ai'r gwynt oer ynteu'r sylweddoliad ofnadwy oedd yn gyfrifol. Teimlodd boen siarp y tu ôl i'w lygad chwith, ac roedd yr amseru fel pe bai'n ei gosbi am ei dwpdra.

'Sud oedd dy dad yn gwbod na Richardson oedd yn gyfrifol am roi Dyl Mawr yn yr hospitol?'

'Un o dîlyrs Dad ydio.'

'Be?' poerodd Felix, a phob cyhyr yn ei wyneb yn gwingo a rhychu mewn penbleth.

'Pan ddoth Carwyn adra o ffwr', roedd gynno fo llwyth o gontacts o'r blac marcet yn Irác. Os oes 'na shit yn mynd lawr, ma Carwyn yn siŵr o gerddad reit trw' i ganol o, ti'mbo?' Roedd Felix wedi symud at y rheilffordd a bellach eisteddai â'i gefn yn gorffwys yn erbyn y ffens atal. 'So ma bois seciwriti y contractyrs yn ca'l fflaits fewn ac allan o'r dryg prodiwsing rîjyn mwya yn y byd heb dim tshecs ar eu bagej. Dim byd manwl, eniwê.'

'Felly ma Carwyn yn dod â herywin pur i fewn, a ma dy dad yn 'i ga'l o allan ar y stryd?'

'Dim cweit. Jyst ca'l yr eidîa a'r contacts ddaru Carwyn, 'di o'm yn miwlio. Fysa Dad byth yn risgio fo am hynny.'

'Feri parental of him,' dywedodd Felix.

''Di o ffyc ôl i neud efo fi, Felix. Hwn 'di'r tro cynta i Dad dablo hefo hard drygs.'

'Dim dablo 'di hyn, Tecs. Dîlio big taim 'di hyn. Mae o'n nyts os 'di o'n meddwl bod y dîlyrs erill yn mynd i sefyll 'nôl a gwatshiad Chris Keynes yn cymryd drosodd y north Weils Dryg Trêd. Boncyrs.'

'Coelia fi, Felix, mae o *yn* boncyrs, ond 'di o ddim yn nyts. Ma gynno fo masdyrplan, a fel dwi 'di sôn, ti'n rhan ohono fo rŵan, rwsud.'

'Pam ti'n deud hyn wrtha fi rŵan, Tecs? Fysa heds-yp bythefnos 'nôl wedi bod yn handi.' Syllai Felix yn daer ar Tecs gan rwbio'i ddwrn clwyfus.

'Dwi ddim yn y lŵp, dim yn iawn eniwe. So rhaid i chdi ddisgwyl wedyn, does, i weld pwy 'di pwy a be 'di be. Mae o chydig yn conffiwsing, yn enwedig pan ti'n styc yn canol.'

'Dwi'n gwerthfawrogi bod chdi mewn lle cas, ond be dwi'm yn ddallt ydi pam wyt ti yna o gwbwl, Tecs? Pam ddim gadal nhw i'w ffycin gêm brwnt a cadw allan ohoni?'

'Fel dwi 'di trio deud 'tha chdi, Felix, tydi Dad ddim yn foi ti'n deud "na" wrtha fo. Dyna pam 'nes i joinio fyny pan oeddwn i'n eitîn. Biti mod i 'di dod adra i gladdu Mam, dyna oedd 'yn mistêc mwya i. Ca'l fy mherswadio i aros, gwatshiad ar i ôl o. Y dyn mawr tew. Ffycin 'el, Felix, be 'di'r tsharjlist so far? Cidnap, atemptud myrdyr, asoltin' ê polis offisyr, dryg trafficing a dîlio, ac ymlaen ac yn y blaen. Nown ni byth gweld gola dydd os gewn ni'n dal.' Roedd Tecs ar ei gwrcwd yn edrych arno ac roedd Felix yn rhoi mwytha i'w arleisiau, ei gur yn gwaethygu.

''Di o dal ddim yn gneud sens, Tecs. Pam cidnapio Kevin Richardson, os 'di o'n un o dîlars dy dad? A pam dragio'i frawd o i mewn i betha os 'di o'n hollol strêt?'

'Ma Dad wedi bod yn ama bod Richardson yn sgimio tipyn off y top ers cwpwl o fisoedd, ac eniwe mae o'n rhy swnllyd o gwmpas y lle. Trio dychryn o i ffwrdd oedd y plan, dwi'n meddwl.'

''Di Carwyn yn 'i 'nabod o?'

'Yndi, a fynta'n nabod Carwyn. Dyna sy'n ffrîcio fi allan fwya,' dywedodd Tecwyn gan crafu top ei ben fel tasa ganddo chwain. 'Pam nath Carwyn dynnu'i falaclafa o'i flaen o?'

'Yn union.'

'Un ai roedd o'n mynd off y rêdar, neu roedd Dad wedi deud wrtha fo am gael gwared ar Kevin Richardson.'

'A'r IRA blyff oedd er mwyn gneud i DS Richardson redeg ar ôl 'i gynffon 'i hun.'

'Wrth gwrs, Felix. Jîsys Craist olmaiti, ac os 'di Carwyn

heb ddal i fyny hefo Kevin Richardson . . .' dechreuodd Tecwyn.

'Sydd yn nesa peth i amhosib,' torrodd Felix ar ei draws.

'. . . ma'r shit yn mynd i hitio'r ffan, big taim.'

'Gwell hynna na bod yn acsesori i myrdyr,' dywedodd Felix gan edrych yn ofalus i weld a oedd Tecwyn yn cytuno.

'Atempted ffycin myrdyr, bron cyn waethad. Sêm diffryns, fel ma'r Sais yn ddeud,' dywedodd Tecwyn â'i lais yn dywyll.

'Fedra Kevin Richardson ddim mynd at 'i frawd, dwi'm yn meddwl,' dywedodd Felix. 'Sut mae o'n mynd i esbonio'r drygs?'

'Ella neith o ddim mynd at y DS, ond ma'r DS yn siŵr o chwilio amdana fo, tydi?'

'Yndi, ond so wat?' Estynnodd Felix ei ddwylo allan o'i flaen, y cledrau am i fyny. 'Tydi Kevin Richardson ddim yn mynd i ddeud 'i fod o 'di nabod dy frawd. Fydd o'n sticio at y stori IRA – mi fasa popeth yn haws idda fo wedyn. Yn cynnwys y stori am ddianc.'

'So, be ti'n meddwl fydd yn digwydd nesa?' gofynnodd Tecwyn.

'Ma dy frawd yn mynd i orfod gwynebu dy dad, ffês ddy miwsig. Ma Kevin Richardson yn mynd i ddiflannu, a mynd â hynny fedrith o o ddrygs dy dad hefo fo. Ma DS Ian Richardson yn mynd i drio anghofio am yr holl beth – does gynno fo ddim opsiwn arall. A . . .'

'A be?'

'A dwi'n mynd i fynd adra, rhedag bath poeth a gorwedd yn y bybyls am awr hefo potal o Chateau Musar tw thawsynd an' wan yn gwmni.'

'A be dwi i fod i neud, Felix? Mynd adra ac anghofio am hyn i gyd?'

'Mynd o 'ma – dyna ddylia chdi neud, Tecs. Dyna 'nest ti deg mlynadd yn ôl, a fel ddudest ti, dod 'nôl oedd y mistêc mawr. Dos mor bell i ffwrdd ag y gelli di Tecwyn, a paid â dod yn ôl.'

Cododd y ddau ac ysgwyd llaw, Felix yn gwingo fymryn wrth i'r cyn-filwr wasgu'n gyflym ond yn gadarn ar ei law glwyfus. Trodd Tecwyn Keynes a dilyn y llwybr oedd yn fforchio i'r dde i ffwrdd oddi wrth oleuadau Bangor Uchaf, a golau'r tortsh yn arwain y ffordd. Safodd Felix yn edrych ar y pelydryn linc-di-lonc yn crebachu'n ddim.

'Ffy-cing hel, Oswyn Felix, be wyt ti'n feddwl ti'n neud, y twpsyn?' dywedodd wrtho'i hun dan ei wynt a'i ben yn siglo fymryn o'r dde i'r chwith mewn penbleth. Dechreuodd gerdded tuag at y goleuadau.

Tri pheth anhawdd ei cael: dwfr sych; tân gwlyb; a gwraig dawgar

■

GORWEDDAI FELIX yn nŵr llwyd lleddfol y bath. Nid oedd wedi agor potel o'i hoff win wedi'r cyfan; yn hytrach, roedd gwydraid hanner llawn o chwisgi brag sengl Jura yn ei law chwith. Syllai ar y llun o John Coltrane, sacsoffôn tenor yn ei geg, oedd mewn ffrâm uwchben troed y bath. Roedd bochau'r cerddor wedi chwyddo fel broga wrth iddo baratoi i ryddau'i nodau athrylithgar drwy'r offeryn. Yn ei ddychymyg, gallai Felix glywed 'A Love Supreme' yn llenwi'r distawrwydd ac yn boddi sŵn traffig yr hwyrnos y tu allan. Caeodd ei lygaid a gweld y cawr o Ogledd Carolina, y chwys yn disgleirio fel gemau ar ei wyneb golygus, yn sefyll yn ei unfan ac yn siglo ryw fymryn ar ei sodlau wrth hudo'r gynulleidfa â'i chwarae unigryw. 'Trane oedd y dyn, meddyliodd Felix. Cymerodd lymaid o'r hylif hudolus, gydag awgrym o flas coffi a mêl yn brwydro i gadw cwmni i'r oglau derw a licris. Cynhesai frest Felix wrth deithio i lawr y lôn goch, ac ochneidiodd yn llawn rhyddhad dwfn, dieiriau. Roedd Mike Glas-ai a Mags Weiwei – merch Weiwei Wa o'r tecawê dros y ffordd – yn rhedeg y dafarn islaw. Roedd o'n dal i fod yn fyw, ac wedi llwyddo i gadw allan o gelloedd yr heddlu. Ac roedd Kevin Richardson wedi cael blas ar ei haeddiant am yr hyn a wnaeth i'w gyfaill. Aeth llawer iawn o chwith yn ystod y diwrnod, a heb os, roedd helynt yn siŵr o ddilyn. Ond, am y tro, roedd Oswyn Felix am edrych ar yr ochr orau.

Meddyliodd am Mair, a phenderfynu'n syth ei fod am ei ffonio cyn gynted ag y deuai allan o'r bath. Roedd wedi mwynhau mynd allan gyda'r nyrs dlws yr wythnos cynt, ond teimlai hynny fel oes yn ôl ar ôl heddiw. Meddyliodd am ei hiwmor gwawdiol ysgafn a'i chalon cynnes, a'u hystyried yn gyfuniad atyniadol anghyffredin. Roedd y ddau wedi llwyddo i ddod i adnabod tipyn ar ei gilydd, cael rhyw egnïol a phleserus, a brecwast y bore trannoeth, a'r cyfan o fewn wythnos heb i'r un ohonynt deimlo'n lletchwith nac ynghlwm wrth unrhyw addewid. Pan adawodd Felix hi allan o ddrws ffrynt y Penrhyn y bore cyntaf hwnnw, roedd Mike yn digwydd cyrraedd 'run pryd. Wedi ychydig o 'Su'mais' cerddodd Mair at ei char, a Mike Glas-ai yn gofyn, 'Cîpar?' wrth Felix. Ysgydwodd yntau ei ben yn ysgafn gan wenu a throi'n ôl fewn.

'Cîpar, ia,' dywedodd Felix wrth John Coltrane.

Hawdd tanio eithin crinion; nid hawdd eu diffawdd

■

Roedd Felix yn gafael yn ei ffôn gyda'r bwriad o ffonio Mair pan ddeialodd, yn hytrach, rif Sioned.

'Hei Felix,' dywedodd Sioned wedi i'r ffôn ganu hanner dwsin o weithiau.

'Sud oeddach chdi'n gwbod 'na fi oedd 'na?'

'Ddy wynders of modyrn tecnoloji, Felix bach. Rhaid i chdi drio byw yn y twenti-ffyrst sentshyri ryw dro, 'sdi.'

''Y mhroblem i ydi 'na dyna'n union lle dwi *yn* byw, yn anffodus, Sion.'

'Cyn i chdi ofyn, no tshenj, Felix. Nyrs yn deud 'i fod o 'di twitshio cwpwl o weithia neithiwr, dim byd rhy dramatig.'

'Ond 'dan ni dal yn y "no niws is gwd niws" stêj, Sion. I iwsho terminoleg modern, 'di'i gompiwtyr o ddim yn barod i ri-bŵtio cweit eto.'

'Ciwt, Felix. Do'n i'm yn meddwl bod gin ti galciwletyr, heb sôn am gompiwtyr.'

'Ciwt, dy hun. Tisho fi ddod i fewn efo chdi fory?' gofynnodd Felix gan obeithio clywed yr ateb arferol a gafodd dros y bythefnos ddiwethaf.

'Na, ti'n iawn Felix. Wyns y wîc yn ddigon, yn enwedig gan bod gwatshiad chdi'n diodda'n cerdded fewn i'r hospitol yn waeth na gwatshiad Dyl yn cysgu.'

'Dwi mor amlwg â hynna, yndw?' Rhwbiodd Oswyn gefn ei ben gwlyb â'i dywel gan chwerthin yn ysgafn.

'Fatha'r sbot ar drwyn y boi sy'n darllen y newyddion ar y bocs o mlaen i'n fama.'

'Cymraeg ta cenedlaethol?'

'Y boi gwên smỳg 'na. Jamie rwbath.'

'Unrhyw niws diddorol?'

'Dim byd ecseiting; dynas wedi boddi yn Penbrwcshŷr, helicoptar wedi pigo rhyw dwat o Mantshestyr off yr Wyddfa.'

'Misdyr Wyddfa, y sîriyl cilyr Cymraeg.'

'Trio'i ora, tydi. A tân mawr mewn caeau ganol nunlla yn Sîr Fôn.'

Distawrwydd.

'Felix? Helo . . . Felix?'

'Sori Sioned, 'nes i ollwng y ffôn.' Celwydd bach. 'Tân ddudest ti?'

'Ia, od gweld tân mawr ar dir fflat ar ôl yr holl dana' mynydd yr ha 'ma.'

'Ia, ma'n siŵr. Sioned? Ti'n digwydd gwbod os 'di Mair yn gweithio heno?'

'Na, ma hi off, oedd hi fewn gynna. Sgin lyfyr boi ofn ffonio neu rwbath?'

'Niws trafyls ffast.'

'Neis ca'l newyddion da am tshenj. Ma Mair yn twenti-ffôr caryt gold, cofia Felix.'

'Be ti'n feddwl – bach yn sofft, yn uffernol o drwm, ac yn felyn?'

'Gwatsha di, ti'n gneud iddi hi swnio fel Homer Simpson. Mi fydda i'n riportio 'nôl ar y woman's netwyrc, 'sdi,' dywedodd Sioned gan chwerthin.

'Hei, dwi'n mynd, i ffonio'r nyrs dinboeth 'ma.'

'Felix!'

'Siarad efo chdi fory, Sion.'

Rhoddodd Felix y ffôn Bakelite 'nôl yn ei grud o'r pumdegau, a llwyddodd y ddwy glic, fel bob tro bron, i roi gwên o foddhad ar wyneb Felix. Roedd wedi chwilio ymhob man am y ffôn ac wedi dod o hyd iddo mewn siop hen bethau yng Nghaer. Talodd gymaint amdano nes ei orfodi i ddweud celwydd wrth Luned er mwyn osgoi ffrae arall. Roedd yn mwynhau treulio'i amser ymysg eitemau o gynllun clasurol. Cadair ledr foethus o'r pedwardegau, dodrefn G-Plan o'r chwedegau a'r saithdegau. Cerddoriaeth oddi ar feinil, yn enwedig jazz, a hynny ar chwaraewr recordiau Philips o'r saithdegau. Nid oedd o'r farn fod popeth o werth yn dod o'r gorffennol – roedd yn rhaid dewis a dethol yn ofalus i gynnal safon – ond roedd prynu unrhyw beth newydd o safon y tu hwnt i'w boced. Ail-law amdani, meddyliodd mewn perthynas â dim byd yn benodol.

Cododd dderbynnydd y ffôn unwaith eto, ac oedi â'i fys wrth y deialydd a'r ffôn wrth ei glust. Deialodd

118 118 a gofyn am rif yr orsaf heddlu ym Mangor. Derbyniodd y cais i gael ei gysylltu'n uniongyrchol, a chanodd y ffôn ddwywaith.

'Hello, Bangor Police Station. Can I help?'

'Siarad Cymraeg?' gofynnodd Felix wrth y gŵr ar ben arall y lein.

'Yndw, sut fedra i'ch helpu?'

'Fyswn i'n cael siarad efo DS Ian Richardson, plîs?'

'Pwy sy'n galw?'

'Oswyn, landlord y Penrhyn Arms.'

'Mi dria i 'ch rhoi chi drwadd, ond dwi'n ama nad ydi o i fewn ar hyn o bryd. Daliwch y lein.'

Daeth fersiwn electronig gwael o'r Pedwar Tymor gan Vivaldi i lygru clyw Felix, a daliodd y derbynnydd ryw bum modfedd o'i glust. Ymhen ychydig, daeth y llais yn ôl.

'Helo?'

'Helo eto,' dywedodd Felix.

'Dim ateb, fydd o i fewn bore fory. Dach chi isho gadael mesij?'

'Ia, fysach chi'n gofyn idda fo gysylltu hefo fi, Oswyn Felix, yn y Penrhyn Arms ym Mangor Ucha 'ma?'

'O'n i'n meddwl mod i'n nabod y llais. Felix ddy Cat. Berwyn Owen, ro'n i ar comiti Bangor Siti Ffwtbol Clyb pan gest ti dy rŷn.'

'Su' ma'i, Berwyn? Doedd hi'n fawr o rŷn, nag oedd?'

'Anlwcus oeddach chdi, Felix. Dyna dwi'n ddeud. Anlwcus.'

Nid oedd Felix yn cofio Berwyn o gwbl, ond arferai hyn ddigwydd yn aml iddo ac roedd wedi dysgu smalio cofio pobl yn dda.

'So ti ar y ffôrs rŵan, Berwyn?'

'Desg Sarjynt, Felix. Ffifftîn iyrs flwyddyn nesa.'

'Ti'n ca'l llai am manslotyr,' dywedodd Felix a gwingodd fymryn wrth gofio am ddigwyddiadau'r dydd.

'Myrdyr, Felix bach. Ti allan mewn hynny am myrdyr dyddia yma.'

'Be nei di, Berwyn.'

'Felix, mi wna i'n saff fod DS Richardson yn cael y neges. Ti isho fi menshnio am be mae o?'

'Deud mod i am gael gair am ei frawd o, nei di Berwyn?'

''Di o'm 'di bod yn codi stŵr yn dy bŷb di, naddo Felix? Nasti pîs of wyrc, hwnna.'

'Ti'n gwbod amdan Kevin Richardson, felly?'

'Ma pob offisyr yn y lle 'ma'n gwbod am Kevin. Tydi'r DS yn cael dim i neud efo fo, dwi'n gwybod gymaint â hynna, Felix – hanner brawd neu ddim.'

'Hanner brodyr ydyn nhw?'

'Fel dwi'n dallt. 'Run fam. Dal y lein . . .' Clywodd Felix y ffôn yn cael ei osod i lawr a lleisiau'n trafod, yna clywodd lais uchel yn bloeddio fel tasai rhywun mewn ogof. Doedd dim modd deall yr iaith, heb sôn am y geiriau. 'Sori, Felix. Rhaid i mi fynd, ma 'na un o'n regiwlars ni wedi rowlio i fewn, fel ti'n gallu clywed, siŵr o fod.'

'Does 'na neb yn gadael y Penrhyn mewn stad fel'na, dwi'n gaddo i chdi Berwyn.'

'Y parc-bensh-meths mob 'di hwn, Felix. 'Di rhein ddim wedi gwario ceiniog mewn pỳb ers iddy' nhw ddechra cael seidar i frecwast.'

'Un o'r ffaif y dê, ffrwytha, tydi? Na'i adal chdi fynd; hwyl, Berwyn.'

'Hwyl, Felix.'

Rhoddodd Felix y ffôn i lawr a chrafu'i ên fel pe bai ganddo farf. Roedd wedi penderfynu mai'r lle saffaf i guddio rhag digwyddiadau'r dydd oedd yn yr amlwg. Os byddai ei ran o yn yr helyntion yn dod yn hysbys, roedd am roi ei resymau gerbron y DS. Ni welai unrhyw ddrwg yn deillio o hyn, ar hyn o bryd beth bynnag. Cododd y ffôn am y trydydd tro ac yna'i roi'n ôl i orffwys. Nid oedd yn haeddu mwynhau cwmni Mair heno, felly penderfynodd fynd i lawr y grisiau am beint.

Po mwyaf y drafod, mwyaf fydd y gorfod

Roedd y bar yn brysur, a hithau'n noson Clwb Jazz Bangor, yr ail nos Wener o bob mis. Roedd Oswyn wedi osgoi ymaelodi gan nad oedd yn or-hoff o jazz cyfoes; gyda'r meistri *be bop* yn unig gorweddai ei angerdd ef. Roedd wedi bod mewn ambell noson a gynhaliwyd yn y tŷ bwyta Eidalaidd, Trattoria Locatelli, i lawr y lôn. Roeddent yn arfer dod i'r Penrhyn ar ôl y cyngerdd oherwydd y detholiad anghyffredin o jazz oedd ar ei jiwcbocs. Ar hyn o bryd, roedd nodau ysgafn 'Take Five' yn cael eu chwarae'n ddestlus gan Dave Brubeck. Roedd 'na wastad gynulleidfa dda ar gyfer y nosweithiau hynny, ond teimlai Felix fod yr awyrgylch ychydig yn rhy waraidd a ffroenuchel i ddal gwir ysbryd y gerddoriaeth, gyda phawb yn eistedd yn barchus. Beth bynnag, roedd til y Penrhyn Arms yn falch iawn o'u cwmni a braf oedd ei glywed, meddyliodd Felix, yn canu fel tasai hi'n wythnos y glas. Cafodd Mags gip arno wrth ymyl y bar yn gwenu ar eu hymdrechion – Mike yn chwysu wrth dywallt y diodydd a Mags yn cymryd yr arian ac yn gweithio'r til.

'Dach ch'isho hand?'

'Pyrffect taimin, Felix. Fel ma'r mad rysh yn dod i ben,' dywedodd Mags yn ddirmygus.

'Anghofis i am y Jazz Clyb, sori.'

'Dwi'm yn meddwl bod Mike yn siŵr os 'di o'n mynd ta dod. Yli arno fo.'

Edrychodd y ddau ohonynt ar yr oferwr o reddf, yn tynnu sawl peint ar y tro, yn hel pacedi cnau o'u cartref ar y cardbord, ac yn gwasgu mesuriadau jin a fodca o'r optegau. Roedd gan Mike Glas-ai rythm blith-draphlith oedd rywsut yn effeithiol ac ar yr un pryd yn ddoniol iawn i'w wylio.

'Jiniys. Meistr wrth 'i waith,' dywedodd Felix wrth Mags a hithau'n ysgwyd ei phen yn anghrediniol ar ei chydweithiwr.

'Well i fi ddechra cymyd am y drincs 'ma,' meddai Mags. 'Be tisho, Felix – peint?'

'Pan gei di jians, Guinness.'

Roedd Oswyn yn adnabod mwy na hanner yr yfwyr – rhai fel cwsmeriaid cyson, eraill yn gyfarwydd fel staff y busnesau lleol neu'n wynebau ar y stryd. Tom Pritchard, perchennog y siop lyfrau, a'i wraig smart gyda'i chorff anhygoel mewn gwisg ddu dynn a'i hwyneb siomedig o blaen. Alys Campbell, cyfreithwraig Felix a ffrind da iddo. Roedd hi'n trafod mewn cylch gyda phobl nad oedd Felix yn eu hadnabod, felly ni ddangosodd ei hun iddi. Efallai y byddai'n rhaid iddo alw am ei gwasanaeth yn fuan iawn, meddyliodd. Paul Jones, pennaeth Menai Automotive, un o'r cwmnïau mwyaf llewyrchus ym

Mangor a chadeirydd y Clwb Jazz. Glaniodd peint wrth ei ochr.

'Roedd y Llyn yn gofyn amdanat ti gynna, Felix,' cofiodd Mags.

'Y Llyn! 'Di o'n dal yma?'

'Welis i o wrth y drws cyn i'r crowds gyrraedd, dwi'm yn gwbod.'

'Diolch, Mags.'

Rhoddodd Felix dair punt ar y bar gan ddechrau esgusodi'i hun a gwasgu drwy'r dorf i gyfeiriad drws ffrynt ei dafarn. Roedd wir yn gobeithio nad oedd wedi colli cael gweld ei ffrind, y bardd. Tegid Bala oedd ei enw, neu y Llyn fel roedd pawb yn ei alw. Er mor wan oedd y chwarae ar eiriau, doedd prin neb yn cofio erbyn hyn pam mai fel y Llyn yr oedd yn adnabyddus. Ac roedd Tegid Bala yn fwy na hapus i dderbyn y llysenw. 'Sut ma'r Llyn heno?' ''Di'r Llyn yn mynd i'r gêm dydd Sadwrn?' Y math yna o beth. Rhyw *nom de plume* tanddaearol oedd yn gweddu, meddyliodd Felix, i natur derfysglyd, meddylgar, cymdeithasol a dirgel y dyn. Cymeriad o ryw oes o'r blaen, ac un o feirdd gorau'r genedl.

Gwelodd y Llyn yn eistedd wrth y ffenest gyferbyn â Burgess, yn ei sedd arferol. Roedd yr unig ddwy sedd wag yn y dafarn bob ochr iddynt, a safai'r ddau allan ymysg yr yfwyr mwy gwaraidd yr olwg. Cododd y Llyn ei ben o edrych ar waddodion ei beint.

'Oswyn Felix. Mae'r brenin yn y llys o'r diwedd,' dywedodd gan godi ac ymestyn ei law.

'Sut ma'r dyfroedd yn corddi heno, gyfaill?' atebodd Felix gan ysgwyd ei law a chydio yn ei fraich mewn cyfarchiad cynnes.

'Dwi'n o lew, Felix. A chditha?' Eisteddodd y ddau, a chododd Felix ei ên ryw ychydig i gyfeiriad Burgess.

'Ti ddim isho gwbod.'

'Na, ti'n iawn, siŵr o fod. Dyna pam dwi 'di dod yr holl ffordd o Maracesh yn unswydd i holi ar ôl hen gyfeillion, er mwyn cael fy ngadal yn y twllwch.'

Edrychodd yn ddifrifol ar Felix, ac roedd Felix yn poeni ei fod am ddechrau beichio crio.

'Lle ma dyn yn dechra, Llyn bach? A sud ffwc ti'n ca'l sniff ar helyntion Bangor yn ffycin Gogledd Affrica?'

'Ti 'di clywed am yr intyrnet, do, Felix? Efallai fy mod i a Maracesh yn edrych yn gyntefig, ond 'dan ni'n dau yn gallu derbyn Hotmeil.'

'Pwy?'

'Sioned ddaru î-meilio fi efo'r hanes am Dyl Mawr. A dwi'n dy adnabod di'n rhy dda i feddwl y basat yn gadael llonydd i'r peth.'

'Dyn gwirion iawn sy'n gweithredu yn ei dymer, Llyn.' Roedd Cymraeg Felix wastad yn gwella mwyaf sydyn pan oedd yng nghwmni'r bardd.

'A llwfrgi sy'n gneud ffyc-ôl pan ma ffrind da yn cael cam mawr, Felix. Paid â phoeni dim. A deud yr hanes fel stori, os nad oes gwahaniaeth gen ti.'

Gosododd y Llyn ei ddwylo'n grwn o gwmpas ei wydr peint gwag, ac edrych unwaith eto ar ei waelod gan godi a gostwng ei ben i gyfeiriad Felix. Edrychai i Felix fel pe bai'n ceisio hudo'r geiriau allan ohono, ac efallai mai dyma oedd y gwir.

Daeth yr hanes allan yn un bwrlwm, gyda'r unig oedi'n digwydd pan aeth y Llyn, ac yna Felix, draw at y bar i nôl peint i'r ddau ac i Burgess hefyd oherwydd ei fod yn eistedd yno. Pan soniodd Felix am Christopher Keynes am y tro cyntaf, dyma'r Llyn yn dechrau gwingo. Holodd Felix sut roedd o'n ei adnabod.

'Dyn hawdd 'i bechu. Dyn caled a pheryg fel blaidd. Dwi'n gobeithio'i fod o'n gadael y stori yma'n o fuan, Felix.' Roedd distawrwydd ac wyneb llonydd Felix yn dweud y cyfan. 'O wel, cari on,' dywedodd y Llyn.

Dyma Felix yn adrodd hanes y cwrdd yn 72 Ysgubor Wen, a holodd y Llyn eto a oedd o'n adnabod y meibion.

'Prynu hash gan y dadi-o, a thalu 'bach yn hwyr. Dyna sut dwi'n 'nabod Keynes, Felix. Roedd un o'i feibion, 'dwn i ddim p'run, ar fy ôl i am bythefnos. Mynd i dorri'n ngheillia i ffwrdd efo cyllell rydlyd oedd y bygythiad. Braidd yn clîshe. Yn ffodus, ma'r crown jiwyls yn saff ar ôl i mi gael siec amserol a digonol gan yr *Indipendynt on Syndei*.'

'Carwyn siŵr o fod,' dywedodd Felix.

Disgrifiodd y trefnu gorfanwl a fu adeg yr herwgipio, a'r smonach a ddigwyddodd yn gynharach yn y dydd. Soniodd hefyd am ei obeithion a'i ofidiau am y dyfodol agos. Erbyn iddo orffen roedd y Penrhyn wedi gwagio, a Mags yn brysur yn sychu'r byrddau gweigion ac yn gosod y gwydrau gwag ar y bar. Doedd pawb ddim wedi gadael, dim ond aelodau'r Clwb Jazz. Ond roedd hynny'n fwy na digon i wneud i'r dafarn deimlo'n wag ac yn ddiawyrgylch. Rhoddodd Steve Harman arian yn y jiwcbocs a dewis ei gân arferol, 'Bat out of Hell' gan Meatloaf. Dyma'r eironi yn taro'r Llyn a Felix ar unwaith a dechreuodd y ddau chwerthin yn ysgafn.

'Wel?' gofynnodd Felix.

Ochneidiodd y Llyn yn ddramatig a rhwbio'i wyneb gyda'i ddwylo agored fel pe bai'n ymolchi. Roedd ei farf undydd yn gwneud sŵn fel papur llathru.

'Adeg yma y llynedd,' dechreuodd y bardd, 'ro'n i yn Las Fegas. Ar ôl diwrnod neu ddau, mi gwrddish â Wayne Lafferty.'

'Y Sais oedd yn chwarae lefft-bac i Werddon yn yr wythdegau?'

'Dyna chdi. Ond paid â'i alw fo'n Sais os weli di o byth – neith o dy nytio di.'

'Ma'r acen Cownti Galwê faia Sâff Lyndyn 'na yn argyhoeddi dyn, tydi,' dywedodd Felix, a chododd y Llyn ei ysgwyddau. 'Mae o'n gamblyr proffesiynol rŵan neu rwbath, tydi?'

'Yndi, a wel ia, ia! Wel, fel hyn ddudodd o, Felix. Pan wyt ti'n eistedd i lawr i chwarae pocyr . . .' Dyma'r Llyn yn delio llaw ddychmygol iddo'i hun, Burgess a Felix. 'Ma gin ti dri munud i weithio allan pwy ydi'r ffŵl wrth y bwrdd sy'n mynd i golli'i bres i gyd. Ti'n dilyn?' Nodiodd Felix yn ysgafn. 'Os nad wyt ti wedi darganfod pwy ydi'r ffŵl ar ôl tri munud . . .' Agorodd y Llyn ei ddwylo o'i flaen. 'Wel?'

Ysgydwodd Felix ei ben am eiliad, yna dyma'r geiniog yn disgyn. 'Chdi 'di'r ffŵl,' dywedodd y tafarnwr a daliodd gip ar ei ddannedd aur yn disgleirio yn y ffenest tu ôl i'w ffrind wrth iddo wenu'n llydan.

'Neu yn yr achos yma, Oswyn Felix, *chdi* 'di'r ffŵl.'

'Diolch yn fawr, gyfaill. Fel ma'r Iancs yn deud – deud wrthyf rywbeth nad ydw i'n ei wybod yn barod.'

'Rhaid i chdi edrych ar yr holl beth o'r newydd, Felix.' Cliriodd y Llyn ddarn troedfedd sgwâr o'r bwrdd. 'Pwy yn yr holl beth yma sydd, heb os, yn dryst?' Rhoddodd linell o gwrw gyda'i fys ar waelod y bwrdd. 'A phwy sy'n drewi fel toilet Elvis?' Llithrodd fys slic arall ar dop y bwrdd. 'Ocê?'

'Ia. Iawn,' dywedodd Felix yn ofalus.

'Ma hynna'n eitha hawdd, yn tydi.' Nodiodd Felix. 'Dyl Mawr, Sioned, Mike yn fancw a finnau. Wedyn ma gin ti Kevin Richardson, Chris Keynes, Carwyn y mab gwyllt ac efallai Steptoe am dy gyfeirio di yno. Y badis, cytuno?'

'Yndw, sort of, Llyn, lle ti'n mynd efo hyn?'

'Ma 'na rwbath yn sgi-wiff yn fama, Felix. Ti 'di methu rwbath yn rhwla. Dwi'n gallu'i ogleuo fo, ond fel hen dric budur y landlord sy'n trio cael gwared o'i denant, fedra i ddim dod o hyd i'r pysgodyn drewllyd y tu ôl i'r rediêtyr.'

'Ma 'na lot o bobl yn y stori 'ma sy ddim ar dop na gwaelod y bwrdd 'na,' dywedodd Felix.

'Yn union, Felix! Ma un, ella dau neu dri, o'r rheini i fod ar dop y list. Ma 'na gelwydd wedi cael ei ddweud yn rhywle gan rywun, a hynny wedi creu'r smonach llwyr yma. Pwy a pham a phryd? Wel dyna'r allwedd Felix, i ddrws ymwybyddiaeth.'

Roedd y Llyn wedi eistedd yn ôl yn ei sedd ac wedi codi'i freichiau a'i ddwylo i fyny o'i flaen. Roedd ei fysedd cyntaf a'i fodiau yn cyffwrdd, fel Bwda, ac roedd ei lygaid ar gau. Tynnodd anadl ddofn drwy'i drwyn, a'i gadael allan drwy'i geg.

'Ocê, diolch. Dwi'n meddwl. Rhwbath i gnoi cil arno fo, eniwê.'

Agorodd y bardd ei lygaid yn ddramatig. 'Beth bynnag!' dywedodd.

'Sori?' dywedodd Felix.

'Dim ffycin eniwê. Eniwê, eniwê, eniwê. Beth bynnag, beth bynnag, beth bynnag!'

'Ocê, ocê beth bynnag, beth bynnag.'

Cododd Burgess a rhoi ei ddwylo ar ysgwyddau Felix wrth basio heibio iddo. Pan oedd Burgess, y dyn-gasäwr, yn ymddwyn yn gyfarwydd gyfeillgar fel hyn, roedd Felix yn gwybod ei fod wedi meddwi.

'I'll be leaving you, lads,' dywedodd y corrach mewn llais cryg. Dim syndod, meddyliodd Felix, gan mai'i rownd o oedd hi. 'Hey Felix,' sibrydodd Burgess yng nghlust Oswyn. 'I didn't catch much tonight, but I did hear you mention a Foxham. Watch 'im, Felix. He's the slipperiest cunt this side of a snake-charmer's workbox.'

Roedd yn wincio ac yn cyffwrdd ochr ei drwyn â'i fys, gan bwnio Felix yn ysgafn â'i law arall. Cododd Felix ei fawd ac aeth yr hen lanc allan o'r dafarn, gan dynnu'i het forio Lydewig i lawr ar ongl rhwng ei glustiau.

'Diddorol,' dywedodd Felix wrth neb yn benodol.

'Be ddudodd o?' gofynnodd y Llyn.

'Ma Burgess newydd symud rhywun o waelod y rhestr yn nes at y top. Ma'n werth cael pobl yn îfsdropio weithia, yn enwedig os ti'n prynu peint neu ddau iddy' nhw.'

'Pwy, y brawd? Tecwyn?'

'Na, yn rhyfadd iawn, Foxham – perchennog y garej.'

'Diddorol,' dywedodd y Llyn.

'Neu ragor o niwl yn dod ar draws y Fenai i'n dallu ni. Ond mi fydd rhaid edrych i mewn i hanes y boi, am wn i.'

'Bydd, bydd.'

'Lle ti'n aros?' gofynnodd Felix.

'Hefo Sioned, i fod.' Tynnodd Llyn ei fag teithio brown, carpiog i'r golwg o'i guddfan dan y sgiw, cystal â dweud ei fod wedi digwydd taro heibio Felix cyn mynd i weld am ei lety.

'Braidd yn hwyr i fod yn landio 'na rŵan. Aros yn fama heno – ma'r soffa'n ddigon cyfforddus, fel ti'n gwbod.' Syllai'r Llyn ar Felix wrth gysidro'r cynnig yn feddylgar. 'Ac fel ma hi'n digwydd bod, dwi newydd agor potel o singyl molt Jura o mil naw saith pedwar, spesial.'

Daeth gwên gynhesol ar wyneb y Llyn. 'Sut all dyn wrthod lletygarwch mor hael?' Cododd y bag gerfydd ei handlan, a honno wedi'i chlymu'n sownd efo selotêp, a'i osod ar y sedd wrth ei ymyl.

'Dos i fyny, ma 'na ddigon o ddŵr poeth os ti isho cawod neu rwbath. Mi fyddai i i fyny mewn rhyw hanner awr.'

'Ti'n trio dweud rhywbeth wrtha i, Felix?' dywedodd y Llyn gan ogleuo'i gesail.

'Na, na. Jest meddwl, ar ôl dy siwrna.'

''Nes i ddim rhedeg yma, 'sdi. Tacsi, awyren, bws a trên. Yr ymdrech fwya i mi oedd cerdded i fyny'r allt o'r stesion.'

'Plesia dy hun, Llyn; jyst g'na dy hun yn gartrefol, ocê.'

'Na, dwi'n ddiolchgar iawn, Felix. Well i fi ffonio Sioned i ddweud lle fydda i.' Cododd y Llyn a phwyntio tuag at y bar.

'Ia, helpa dy hun – ma'r ffôn tu ôl i'r bar, gofynna i Mags.'

Gwasgodd y Llyn heibio rhwng cefn Felix a'r wal, a'i daro'n fwriadol ar ochr ei ben gyda'i fag.

'Sori.'

'Mi fyddi di'n munud. Bihafia.'

Roedd y ddau yn gwenu er nad oeddynt yn edrych ar ei gilydd. Edrychodd Felix allan ar y stryd. Wrth adael i wahanol ddelweddau o ddigwyddiadau'r dydd gynnig eu hunain iddo, fe gafodd ei hun yn syllu i wyrddni glân, ffresh y goleuadau traffig. Meddyliodd am y drafodaeth a gafodd ynghynt ar gyrion y Ddinas, yng ngolau'r tortsh, gyda Tecwyn. Roedd ganddo bechod drosto, a theimlai mai fo oedd yn mynd i orfod wynebu'r newidiadau mwyaf yn ei fywyd o ganlyniad i ddigwyddiadau'r dydd. Teimlai euogrwydd yn cosi'i frest wrth gofio'n sydyn am DS Richardson. Be ddiawl oedd o'n meddwl oedd o yn ei wneud. Roedd Keynes wedi ffeindio ffŵl i wneud ei waith brwnt drosto, a theimlodd Felix y gwres yn codi i'w fochau. Trodd y goleuadau traffig yn goch i dorri ar draws ei synfyfyrio. Ysgydwodd ei ben yn gyflym gan droi, a dychwelyd i'r presennol.

Roedd ei dafarn yn wag ar wahân i Steve Harman a'i gariad Gloria, y ddau'n eistedd ochr wrth ochr yn syllu ar eu gwydrau. Nodiai Harman ei ben i rythm y gitâr yn 'Hotel California', y jiwcbocs yn rhy uchel i dafarn wag. Edrychodd Felix ar Mike y tu ôl i'r bar, ac wedi dal ei lygad, fel petai, fe winciodd a meimio troi deial sain â'i law. Heb i Mike symud, enciliodd y gerddoriaeth yn ara deg a chododd Felix ei fawd ar ei weithiwr dros-dro. Cododd Mike ei law i ddangos y rimôt control, a gwenodd yn ormodol.

Roedd y Llyn yn rhoi'r ffôn i lawr pan gyrhaeddodd Felix.

'Popeth yn ocê?' gofynnodd.

'Ydi, sort ora. 'Does 'na'm twyllo ar Sioned chwaith, nag oes.'

'Pam ti'n deud?'

'Awgrymais ei bod hi braidd yn hwyr mentro ar draws dre, a minnau newydd gyrraedd, a dyma hi'n dweud yn syth bìn, "Ia, tua hanner dwsin o beintiau Guinness yn ôl", chwara teg. Copsan go iawn.'

Roedd y Llyn, cyn gorffen siarad, wedi codi'i fag ac yn anelu am y drws ochr ac arno'r arwyddion PREIFAT a PRIVATE.

'Mil naw naw wyth,' dywedodd Felix wrth gefn ei ffrind. Dyma'r flwyddyn pryd y cymerodd Felix y les ar y Penrhyn, a hefyd y cod oedd yn datgloi'r drws i'r fflat uwchben.

'Dwi'n cofio,' dywedodd y Llyn, heb droi.

Wrth gwrs ei fod o, meddyliodd Oswyn. Roedd cof rhyfeddol gan y bardd, ac weithiau byddai'n syfrdanu pobl wrth adrodd penodau cyfan o'r Hen Destament neu efallai soned, ymson neu ddarn o farddoniaeth llai adnabyddus gan Shakespeare neu Dafydd ap Gwilym. Doedd y dyn byth yn creu trwstaneiddiwch gyda'i wybodaeth eang a'i barodrwydd i'w defnyddio; yn hytrach, roedd wastad yn cyfoethogi unrhyw sgwrs gyda'i athrylith a'i gyfathrebu llawn carisma.

Trodd Felix a galw ar Mags, oedd yn brysur yn tynnu gwydrau o'r peiriant golchi llestri a'u gosod ar y silffoedd.

'Bòs?'

'Ia, bòs. Does neb byth yn mynd i fod yn fòs arna chdi, Mags Weiwei, dwi'n gwbod cymaint â hynna.' Tynnodd y ferch Dsieinïaidd o Fangor y lliain sychu oddi ar ei hysgwydd a'i chwipio i gyfeiriad trwyn Felix, gan ei fethu o lai na modfedd. Digwyddodd hyn mewn amrantiad cyn i Felix gael cyfle i ymateb. 'Wôw, ffycin 'el, Mags.'

'Be tisho, Felix, dwi'n brysur.'

'Ti'n gwbod pan ma 'na grisia'n gwynebu chdi pan ti'n mynd i fewn trw drws ffrynt rhai tai?'

'Ia?'

'Pam yn union ma hynna'n ca'l 'i gyfri fel bad ffeng shŵi?'

Disgynnodd y wên ysgafn oddi ar wyneb Mags. 'Gofynna i rywun sy'n gwbod rwbath am y mymbo jymbo bwlshit 'na, Oswyn Felix.'

'Wat?'

'Ffycin Tshainîs Cristians 'da ni, Felix. Ti'mbo, y Ten Comandmynts a Iesu ar y Groes an' ôl ddat. Dim ecsactli yn y comiwnist parti lain, felly dyma Dad yn dod â ni i fama, dallt?'

'Yndw, ond . . .'

'Ond be?'

'Be am y cyng ffŵ?'

'Marshal art ydi cyng ffŵ, dym ffyc – 'di o ddim gwahanol i fwslim yn dysgu bocsio. 'Di o'n ddim byd i neud efo dy rilijyn di. So o'n i'n digwydd bod yn dda am 'i neud o; jyst coinsidens ydio mod i'n Tshainîs hefyd.'

'Mags, chdi oedd pencampwr Prydain dan un ar bymtheg.'

'Ia, so wot? Ma siŵr fod y merchaid eraill yn meddwl bod Jackie Chan yn perthyn i fi neu rwbath. Scêrd shitlys cyn cychwyn.'

'Ti'n dychryn fi, heb i chdi ddangos unrhyw mŵfs.'

Chwifiodd Felix ei ddwylo o'i flaen fel pe bai'n defnyddio'r *karate chop*.

'Japanîs 'di carati, Felix.'

'O,' dywedodd Felix gan ollwng ei ddwylo a'u rhwbio ar dop ei frest. 'Gei di fynd os tisho, Mags.'

'Be am y til?'

'Ma'n ocê. Na'i neud o, paid â poeni. Fyswn i ddim yn gadael y dîmyn til i Mike ddelio efo fo. Fydd Gloria a Steve yn mynd cyn bo hir a ga i gloi.'

'Os ti'n siŵr. Welai chdi bora fory ta.'

'Hei, Mags? Ti'n werth y byd 'sdi.'

'Dwi'n gwbod, Oswyn Felix,' dywedodd hithau, gan luchio'i ffedog lwyd, wedi'i bwndelu, dros y bar a tharo Felix yn ei wyneb a'i ddwylo ar yr un pryd. 'Ges i chdi.'

'Jyst abywt, wela i chdi fory.'

Edrychodd Felix ar ei ffrind o dras dwyreiniol yn siglo'i phen-ôl yn ormodol wrth adael y Penrhyn, a bys canol ei llaw chwith yn ffarwelio ag ef.

'Fyswn i byth yn ca'l getawê hefo hynna,' dywedodd Mike Glas-ai wrth Felix gan ysgwyd ei ben ar Mags.

'Sgin ti mo'r pen-ôl i rhoi balans i'r bys, nag oes Mike.'

'A fyswn i'm yn medru rhoi stîd i chdi os fysa chdi'n trio sacio fi, chwaith.'

'Pwynt teg.'

'Ma'r gwydra'n sychu, a ma'r byrdda a'r bogs yn lân, ti'n gwbod be? Dwi'm yn meddwl bod 'run o'r Clwb Jazz mob wedi twllu drws y bogs 'na heno.'

''Di'r crach byth yn cachu, Mike. Doeddach chdi'm

yn gwbod? Hei, diolch i chdi am heno, o'n i 'di anghofio'n llwyr am y noson jazz.'

'Er i mi dy atgoffa di neithiwr, peth dwytha,' dywedodd Mike, gan ddal ati'n ddidrugaredd.

'Ia, wel. Petha erill ar fy nogin. Big dê, a ballu.'

'O, y sîcryt mawr 'ma, cofyrt mîtings efo'r criw Keynes ac yn y blaen . . .'

'Ffycin 'el. Doeddan nhw'm yn gyfrinachol iawn os gest ti sniff arnyn nhw, nag oeddan?'

'Rho hi fel hyn, Felix. Os 'di Pierce Brosnan yn colli'r gìg, dwi'm yn meddwl bydd Cubby Broccoli ar y ffôn eni taim sŵn.'

'Mike, ma Cubby 'di marw ers tua deg mlynedd. Ac eniwe, ffwcio James Bond – Gari Tryfan 'di'r boi.'

'Gari pwy?'

'A . . . Yn union. Dyna be ydi sîcryt eijynt, ti'n gweld.'

'Ti yna i gyd dwa'?' gofynnodd Mike, wedi hen golli trywydd y sgwrs.

'Dwi'n ama'n hun weithia, Mike, 'nenwedig ar ôl diwrnod fel heddiw.'

'Pam?'

'O, ella na'i ddeud wrtha chdi ryw ddiwrnod, ond ddim heno. Gei di fynd os ti isho, 'na i gloi.'

'Beth am y lyfbyrds?' Llechiodd ei ên i gyfeiriad Steve a Gloria, y ddau'n syllu'n syth ymlaen wrth i Steve nodio'i ben yn ysgafn i rythm 'Freebird' gan Lynyrd Skynyrd.

'Sgynno fo'm cweit hanner o'i flaen yn fanna, a 'di

o'm yn ca'l un arall. Ac erbyn i fi ddarfod tilio mi fydd Gloria, o leia, wedi ca'l y mesij.'

'Os fyswn i'n gorfod mynd adra efo Steve Harman, fyswn i'n *gorfod* cael 'yn nhaflyd allan o'r pỳb bob nos Felix, preffrybli'n pisd asold.'

'Pwynt teg arall, Mike. Ti ar rôl heno.' Gyda hyn, trodd Felix i wynebu Steve a Gloria a dweud, 'Sori bois, dwi'n cau mewn pum munud.'

'Wat? C'mon, Felix man. Dim ond cwotyr tw 'lefn ydi hi.' Dyma Felix yn ystumio'n Iddewaidd ei ymddiheuriadau tuag at Steve Harman, a bochau'r beiciwr yn cochi o'i flaen. Roedd Felix yn ymwybodol fod ganddo dymer ymfflamychol, 'A ma' gynna' i tŵ cwid o ganeuon ar y bocs.'

Aeth Felix i'w bocedi, a darganfod eu bod yn wag. Rhoddodd ei law agored dros ei ysgwydd heb droi a gosododd Mike dwy bunt arni. 'Sori, Steve.' Winciodd yn gyfeillgar ar ei gariad. 'Gloria.'

'Fydda i'n mynd i'r ffycin Glôb nos fory, Felix, dwi'n deu' 'tha chdi,' dywedodd Harman wrth godi'r ddwy bunt a'i siaced ledr oddi ar gefn ei gadair ar yr un pryd.

Cafodd Oswyn hanner gwên fach sydyn gan Gloria, cystal â dweud ei bod hi'n mwynhau'r sioe. A dyma'r ddau yn gadael y Penrhyn; Steve fel trên stêm a Gloria fel y cwmwl ager tangnefeddus yn ei ddilyn.

'Ma pawb yn pisd off efo chdi'n gadal fama heno, Felix.'

'Dwi wedi sylwi, Mike. Cau'r cyrtans pan ti'n mynd, os nei di. A tynna'r latsh ar y drws.'

‘Ocê, ai can têc y hint.’ Tynnodd Mike Glas-ai ei ffedog lwyd a’i gosod ar y bar, yna tynnodd botel o gwrw Felinfoel oddi ar y silff a’i dangos i Felix. Nodiodd y bòs, a rhoddodd Mike y botel yn ei fag plastig Safeway yn gwmni i’w *Daily Post* a’i focs dau gant o Lambert and Butler’s. Cododd ei law a’i throi i fod yn godi bawd wrth iddo gerdded am y drws.

‘Un ar ddeg bore fory Mike, ocê?’ dywedodd Felix yn uchel dros dwrw ‘Teenage Kicks’ wrth i Mike dynnu’r cyrtans porffor ar gau. Nodiodd yntau’n ôl gan hercian allan fel *zombie* yn fwriadol wrthgyferbyniol i egni trydanol y gân. Gwenodd Felix.

Rhoddodd yr arian papur oedd yn y til, heb ei gyfri ond roedd o leiaf bedwar can punt yno – i gadw yn yr hen gist fach gyda’r clo cyfunrif a guddiai y tu ôl i galendr yn y gegin fach gefn. Un naw saith dim oedd y cyfuniad; gwyddai Felix fod hyn braidd yn ddiog, gan mai dyma flwyddyn geni Felix. Ond roedd ganddo gof ofnadwy o wael am ffigurau. Roedd wedi penderfynu gadael y gwaith cyfrif hyd y bore gan ei fod wedi blino a chan fod cwmni ganddo. Cymerodd gip i mewn i’r lolfa, er nad oedd yn cael ei defnyddio’n aml yr adeg hon o’r flwyddyn. Ystafell fwyta a chymdeithasu yn ystod tymhorau’r myfyrwyr oedd lolfa’r Penrhyn Arms. Roedd popeth yno fel y dylai fod.Gosododd y cloeon ar y drws ffrynt a diffodd y golau, cyn dringo’r grisiau cul, serth i’w gartref.

Agorodd y drws ar dop y grisiau a daeth arogl

mariwana'n syth i'w ffroenau. Sut ddiawl oedd y Llyn wedi llwyddo i gael ganja allan o Foroco? Roedd Miles Davis yn chwythu patrymau sain perffaith o gwmpas yr ystafell gyda'i gorn aur. Eisteddai'r Llyn yn y gadair ledr dan y ffenest ffrynt, ei gorff anferth yn amlwg yn rhy fach i'r bwced. Roedd ganddo sbliff denau yn ei law a gwên ar ei wyneb.

'Ti'n edrych fel cwcw mewn nyth dryw,' dywedodd Felix.

'Hwn 'di'r lle delfrydol ond tydi'r sedd ddim yn neilltuol.'

'Honna ydi'n jazz sît i. Ond ti tua dwbl fy seis i, dwyt.'

'Yn union, Felix; sedd styllan ydi hon, ond mae'r miwsig yn swnio'n shit hot yn fama.'

Cynigiodd y Llyn y sigarét berlysieuol i'w ffrind a derbyniodd Felix y gwahoddiad gan sugno'n ddwfn ar y rotshan.

'Dwi'm yn mynd . . .' Tagodd Felix ar y geiriau gan rhyddhau'r mwg o ddyfnderoedd ei ysgyfaint '. . . i ofyn sut ges ti'r gêr 'ma fewn i'r wlad.'

'Llawn cystal, gan nad yw'r wybodaeth ar gael i'w rhannu. Fel lleoliad tŷ bwyta da neu draeth unig, perffaith, rhaid cadw rhai pethau'n gyfrinach.'

''Dio ddim yn digwydd infolfio trip i'r tŷ bach ar ôl glanio, na'di?' dywedodd Felix gan ddal y sigarét hyd braich. Edrychodd y Llyn arno'n watwarus fel petai Felix wedi dyfalu'n gywir. 'Yyyychchch!'

'Na, tynnu dy coes di ydw i. Welis i Slim Dave ar

stepan dy ddrws di gynna. Ugain punt am Harri, cynnig na allwn ei wrthod.'

'Ma Slim Dave yn ban'd o'r Penrhyn.'

'Pam?'

'Nath o gynnig rhwbath cryfach i chdi?'

Rhoddodd y sbliff i'w ffrind a sylwi, am y tro cyntaf, mai feinyl *Kind of Blue* oedd yn chwarae, ac nid y cryno-ddisg. Y Llyn, meddyliodd Felix yn sydyn, oedd yr unig berson yn y byd na fuasai'n derbyn cerydd ganddo am wneud hyn. Roedd ei gasgliad o jazz ar y feinyl argraffiad cyntaf gwreiddiol, ac mewn cyflwr agos i berffaith, wedi cymryd blynyddoedd i'w casglu ac roedd yn chwenychu rhagor fel tasai'n Gollum ar drywydd modrwy aur.

'Nath o ryw awgrymu efallai bod rhywbeth cryfach ganddo fo. Ond nath o'm deud be yn union.'

'Cafodd o gopsan wsos o blaen yn trio gwerthu ffycin cocên yn y bogs lawr grisia.' Cododd y Llyn ei aeliau wrth glywed hyn. 'Yn union – ti a fi'n nabod Slim Dave ers deng mlynadd a mwy. Ffycin cocên a Slim Dave. Misdyr mariwana Bangor Ucha. 'Di ca'l blas ac angen gwerthu i fwydo'i fwnci, medda Mike Glas-ai.'

'Slim Dave ar y pwdwr gwyn, mam bach,' dywedodd y Llyn. 'Mae o fatha pan ddaru'r ffowcis glywad bod Dylan wedi troi'n electric, ti'm yn meddwl?'

'Heblaw fod 'na ddim byd da yn dod o stwffio'r gwenwyn 'na fyny dy drwyn. Dim *Highway 61 Revisited*, dim *Blonde on Blonde*, jyst brên cachu rwtsh a siarad jiberish di-ben-draw.'

'Felly, ti 'di banio fo o'i hoff dafarn am werthu chydig bach o blo'?'

'Ia, nais trai gyfaill. Ti'n gwbod sut dwi'n teimlo am unrhyw beth cryfach na hwn.' Cyfeiriodd Felix at y joint. 'Ti ddim yn mynd i godi ngwrychyn i mor hawdd â hynna.'

'Taswn i'n rhedeg y wlad 'ma, neu'r byd i gyd hyd yn oed, un o'r petha cynta fyswn i'n neud fysa . . .'

'Gwneud pob cyffur yn gyfreithlon i'w gymryd a'i werthu, ia, ia . . .' gorffenodd Felix ei frawddeg drosto ac edrychodd y Llyn arno gan wenu'n chwareus. 'Ti'n gwbod be, Llyn? Ma dynoliaeth yn mynd i ffeindio ffordd o ddinistrio'i hun rhywsut; dim yn fuan, ella, ond rhyw ddydd.'

' "Y rhai ni wyddoch beth a fydd yfory . . . Canys tarth ydyw, yr hwn sydd dros ychydig yn ymddangos, ac yna'n diflannu . . ." Epistol Iago, i ti ga'l gwbod, Felix.'

'Be ffwc ma hynna i fod i feddwl?'

'Rwbath leci di. Yli, jyst gêm enfawr, budur a blêr ydi'r busnas cyffuriau 'ma. Tydi o ddim yn rhyfel y gall unrhyw lywodraeth ei ennill; dwi ddim yn meddwl 'u bod nhw 'di ennill yr un frwydr eto, heb sôn am yr holl ryfel.'

'A felly be? Agor y farchnad allan, gadael i'r peiriant cyfalafol fynd ar waith i werthu holl narcotics y byd? Mi fysa hanner y boblogaeth yn crwydro'r strydoedd fel ectras o *Night of the Living Dead*. Dim yn syniad da.'

'Felix, agor dy lygaid. Ti'n byw yn y realiti yna'n

barod. Ma hanner y mamau wrth giatiau'r ysgol ar Temazepam, neu momi's big helpyrs fel ma nhw'n 'u galw nhw. Mae'r athrawon wedyn yn cnoi ar Xanax fel smartis. Ac edrych ar dy dafarn dy hun ar y penwythnos. Offis bois a stiwdants yn goryfed nes bod y pafin tu allan fel llawr stiwdio Jackson Pollock.'

'Be? Ti'n awgrymu bod fi'n ddim gwell na Kevin Richardson a'i fath?'

Cododd y Llyn ei ddwylo fel rhawiau o'i flaen. 'Chdi ddedodd hynna, Felix, dim fi.'

Distawodd yr ystafell yn sydyn wedi clic swnllyd y nodwydd yn gadael wyneb y feinyl, a 'Blue in Green' yn dod i ben. Dechreuodd y Llyn godi ar ei draed,

'Aros fanna. 'Na i'i throi hi,' dywedodd Felix wrtho.

'Be, ti'm yn trystio fi?' Gwenodd y Llyn arno gan wybod yn iawn y gwerth a roddai ei gyfaill ar y feinyl du.

'Llyn bach, ti'n synnu mod i'n trystio neb ar ôl y diwrnod dwi 'di ga'l.'

'Dos i nôl y botel 'na tra ti wrthi, i ni gael gneud mwy o niwed difrifol i'n celloedd ymenyddol.'

Tri pheth y dyly dyn ei ystyried, o ba le y daeth, ym mha le y mae, ac i ba le yr êl

■

CNOC, CNOC, CNOC. Cnoc, cnoc, cnoc. Cnoc. Cnoc. Agorodd Felix ei lygaid. Roedd y curiadau fel galwad yn codi'n raddol o ddyfnderoedd ei isymwybod. Rhywun wrth y drws. Roedd o'n eistedd yn ei gadair yn wynebu'r ystafell fyw. Roedd y Llyn yn chwyrnu cysgu o'i flaen yn y gadair a ddefnyddiwyd ddoe ddiwethaf i glymu a dirboeni un o swyddogion cyfraith y wlad. Roedd un o'r hen flancedi gwlân Cymreig, a roddwyd i Felix gan ei nain, wedi'i thaflu i'r naill ochr gan y Llyn yn y nos. Roedd drws ffrynt y dafarn o dan y ffenest gilagored, ddrafftiog, y tu ôl iddo. Roedd y drafft oer wedi achosi cric yn ngwaelod gwddf Felix rywdro yn y nos. O leiaf roedd ei ben yn weddol glir, meddyliodd, gan ei fod o wedi blino gormod neithiwr i roi llawer o help i'r Llyn wagio'r botel Jura. Cododd o'i gadair a sylwi bod y boen yn ei wddf yn waeth na'r disgwyl, a dechreuodd riddfan wrth roi mwythau iddo'i hun. Ceisiodd agor y ffenestr yn lletach ond roedd y pren wedi chwyddo gormod. Cofiodd mai dyma pam nad oedd hi ond yn agor mymryn, gan nad oedd modd neithiwr ei chau'n llwyr chwaith. Gwyrodd a rhoi ei geg wrth y gwagle gwyntog.

'Helo,' mwmianodd Felix gan sylweddoli ar yr un pryd bod ychydig o gur pen ganddo a'i waed yn taro rhythm bas yn ei glustiau.

Camodd dyn i'r golwg oddi ar y pafin. Wrth weld DS Ian Richardson yn syllu arno, bu bron i Felix ddiflannu o'r golwg. Roedd ei law chwith yn salwtio er mwyn cadw adlewyrchiad haul y bore o'i lygaid. Cofiodd Felix am y balaclafa, ac ymlaciodd fymryn.

'Dwi'n nabod chi, 'dwch?' gwaeddodd y tafarnwr yn feiddgar.

Aeth Richardson i'w boced a dangos ei gerdyn gwarant. Cododd Felix ei ysgwyddau. Rhoddodd Richardson ei fys uwch ei ben a'i chwifio mewn cylchoedd. Roedd yn sharâd eithaf da o seiren heddlu, meddyliodd Felix. Cododd ei fawd arno a gwenu wrth nodio a diflannu o'i olwg.

Reit, Oswyn Felix, meddyliodd. Tactics.

Roedd yn sefyll yng nghanol ei ystafell fyw a'i law chwith yn crafu'i ên. Nid oedd chwyrnu swnllyd ei ffrind yn helpu Felix i ganolbwyntio, a rhoddodd gic i'r stôl o ddefnydd esmwyth oedd yn cynnal ei goesau. Symudodd y stôl fawr ddim, na'r Llyn chwaith. Ar dop y grisiau roedd drych mawr, a chymerodd Felix y cyfle i sythu'i wallt a gwthio'i grys i mewn i'w drowsus. Yna aeth i lawr y grisiau.

Cerddodd yn ofalus drwy'r bar tywyll, agor y llenni

a chodi llaw eto ar y plismon. Roedd o'n dweud wrtho'i hun drosodd a throsodd – ti ddim yn nabod y boi 'ma. Agorodd y drws a gwahodd y DS i fewn.

'Su' ma'i bora 'ma?' gofynnodd Felix.

'Iawn, Misdyr Felix, ia?' dywedodd Richardson gan adael i Felix gael golwg arall ar ei gerdyn gwarant.

'Jyst Felix yn iawn. Dim badj?'

'Sori?' Edrychodd Richardson yn syn arno.

'Dwi erioed 'di ca'l plisman yn dangos ai-di i fi o'r blaen; o'n i'n disgwyl gweld badj mawr aur.'

'Dwi'n gweld,' dywedodd Richardson. 'Ma 'na fathodyn i'w gael ond mae o'n rhy bylci i'w gario bob amser. Ma'r warant card yn ddigon o dystiolaeth dei-tw-dei.'

'Reit,' dywedodd Felix gan nodio. 'Dwi'n gwatshiad gormod o cop shows American, mae'n amlwg. DS Richardson 'da chi, ia?'

'Ian. Mae Ian yn iawn. Ges i neges gan Sarjynt Owen yn deud 'ych bod chi am gael gair efo fi.'

'O, Berwyn, ia?'

'Berwyn, ia.'

'Dach chi isho panad, Ian? Ma hi'n stori hir a 'bach yn ocwyrd.'

Edrychodd Richardson ar ei oriawr cyn gofyn, 'Pa mor hir ydi hir, Felix?'

'Deng munud, ugian ella?'

'Ffêr inyff; s'gin ti goffi hanner disynt?'

'Propyr Espresso,' dywedodd Felix gan fabwysiadu acen Eidaleg.

'Lîd ddy wê.'

Wrth ddringo'r grisiau meddai Richardson, 'Mi ddarụ Sarjant Owen awgrymu bod hyn yn rhywbeth i wneud hefo fy nheulu yn hytrach nag offishal polîs busnys. Dwi'n gywir, Felix?'

Trodd Felix ar y grisiau cul ac edrych i lawr ar Richardson. Edrychai'r DS yn welw a blinedig yng ngolau brwnt y stribyn fflloresynt. Dim syndod, cradur, meddyliodd Felix. Roedd yn ei atgoffa o ddelw marmor o Grist ar y groes a welodd mewn eglwys fechan yn Llydaw ryw dro.

'Dwi 'di bod yn trio ffeindio'r diawliad roddodd uffar o stîd i Dyl Mawr, barman lawr grisia, a dyma rhywun yn crybwyll enw Kevin Richardson.'

'Rhywun? Pwy, felly?'

'Dach chi'm yn swnio fel tasach chi 'di synnu rhyw lawer, Ditectif Sarjynt.'

Cyn iddo cael cyfle i ateb, roedd Felix wedi troi a chyrraedd pen y grisiau. Agorodd y drws a theimlo'i galon yn codi fel carreg lithrig i'w wddf. Ceisiodd beidio â thagu na dangos ei fraw wrth i'r Llyn godi o'i sedd. Y sedd lle carcharwyd Richardson prin ddiwrnod ynghynt. Roedd Felix wedi anghofio'n llwyr am y sedd.

'Paid â codi, Llyn,' dywedodd Felix yn ysgafn gan rythu ar ei gyfaill a gwneud llygaid dyn gwallgof arno, ei gefn at y plismon. Eisteddodd y Llyn yn ôl yn drwm ar y sedd gan orchuddio bron pob tamaid ohoni. 'Ddo i â panad i chdi'n munud, 'li.' Cododd ei fawd yn gudd arno a wincio'n sydyn. 'DS Richardson, Tegid Bala. Tegid Bala, DS Richardson.' Cododd y Llyn ei law dde fel pe bai'n cymryd llw, a nodiodd y DS. Aeth Felix drwy'r coridor chwith i'r gegin gefn, gyda Richardson yn ei ddilyn.

Agorodd Felix y teclyn gwneud coffi wythonglog alwminiwm a gwagio'r gwaddodion i'r bin sbwriel.

'I ateb dy gwestiwn di, Felix.'

'Ia?'

'Does 'na ddim byd yn synnu fi am fy mrawd. Fyswn i'n cael fy siomi ar yr ochr orau tasa rhywun yn riportio 'i fod o wedi helpu hen leidi i groesi'r stryd, ond am unrhyw newyddion drwg . . .' Ysgydwodd Richardson ei ben. ''Di o'n malio dim am neb na dim, sy'n ei gwneud hi'n anodd malio dim amdano fo, os ti'n dallt?'

Nodiodd Felix arno wrth wasgu'r coffi ffres i mewn i'r teclyn bach a'i gau'n dynn.

'Y rheswm 'nes i ofyn am sgwrs ydi'r tâp CCTV, Ian.'

Ysgydwodd Richardson ei ben eto. 'Pa dâp?' holodd.

'Ti'n gyfarwydd hefo'r cês? Dyl Mawr, y barman?'

'Dim ond yn fras, dim y particilyrs. Dwi'n meddwl mai DC Jones oedd yn infestigetio'r insidynt, os dwi'n cofio'n iawn.'

'Do, dwi 'di cyfarfod DC Jones. O'n i'n ca'l y teimlad 'i fod o'n meddwl mai drync draifyr yn cael ei haeddiant oedd Dyl. Ffycin bwl . . . shit, Ian. Bwlshit cos fysa Dyl byth bythoedd yn yfed a gyrru, a bwlshit cos tydi'r DC ddim yn gneud ei job yn iawn os dio'n meddwl hynna.'

'Fel ddudish i, dwi ddim yn gwybod yr ins and awts. Lle ma Kevin yn hyn?'

'Ti'n siriys?'

'Gwranda Felix, ella bod gen ti ryw syniad rhyfadd yn dy ben am y polîs, neu ella bod chdi 'di cymryd yn fy erbyn i am ryw reswm. Ond paid â chwara gêms, a paid â wastio'n amser i. Get on widd it, man.' Wrth iddo ddweud hyn yn lluddedig, sylwodd Felix fod ei fysedd yn crynu'n ysgafn, fel meddwyn cyn ei lymaid cyntaf amser cinio. Teimlodd Felix frân ddu euogrwydd yn pigo eto ar ei gydwybod.

'Ocê, dwi'n ca'l gafael ar y tâp CCTV o'r garej, noson gafodd Dyl Mawr ei . . . ti'mbo.' Am ryw reswm gallai Felix weld y lluniau eto wrth sôn am yr ymosodiad, ac felly roedd yn ceisio osgoi ansoddeiriau amlwg.

'Pwy garej?'

'Moreco, ar y ffordd i Pesda. Beth bynnag, dwi'n gweld y . . . digwyddiad ar y tâp, ac wedyn yn mynd â'r tâp yn syth i'ch steshon chi. Lo and bihold, dau ddiwrnod wedyn, ma'r ffycin tâp yn iwsles, blanc. Wel, yn ôl DC Jones mae o'n blanc. Feri strênj, mmmm. Dwi'n edrych ymhellach i fewn i'r peth a ma rhywun yn crybwyll Kevin Richardson fel person allai fod o ddiddordeb. Dwi'n ca'l lwc ar y boi o bell ac yn sicir, hi's ddy man. Fo oedd bòs y giang ar y tâp CCTV, y rhai ddaru ymosod ar Dyl. Dim amheuaeth. Dyma fi'n holi 'mhellach a ffeindio bod ei frawd . . .'

'*Hanner* brawd,' cywirodd Richardson, gan ganol-bwyntio ar yr hanner.

'. . . yn gopar. Yn y steshon lle ma'r efidyns wedi diflannu. Dw ddy math, fel ma'r Americans yn ddeud.'

'Felix, dwi'n gwbod absolwtli ffyc ôl am unrhyw dâp. Ffyc ôl am unrhyw asolt, a ffyc ôl am unrhyw beth ma' mrawd bach i'n ei wneud. Dwi'n gaddo hyn i chdi – tasa'r dyn 'na'n gwneud rhywbeth fysa'n rhoi jêl taim siriys iddy fo, mi fyswn i wrth fy modd. Mae o'n bad niws, feri bad niws.'

'Sow mytsh am bryddyrli lyf.'

'Dwi prin yn nabod y dyn, Felix. Ma' 'na ugain mlynadd rhyngddon ni 'ran oed, a dwi erioed wedi rhannu tŷ hefo fo, dim hyd yn oed pan oedd o mewn clytiau.'

'Tydi hynna ddim yn esbonio'r tâp, yn nac'di?'

'Dwi'n cytuno efo chdi, mae o'n gyd-ddigwyddiad anodd iawn i'w lyncu.'

Edrychodd Richardson heibio ysgwydd Felix gan orfodi iddo edrych i weld beth oedd yno, er ei fod yn gwybod yn iawn nad oedd dim i'w weld heblaw wal wen y gegin. Meddwl oedd y DS.

'Dwi'm yn licio dweud hyn . . .'

'Ia?' dywedodd Felix gydag amheuaeth yn ei lais.

'Os dim fi, pwy? Dwi'n gwybod na' dim fi sy 'di dinistrio'r tâp, felly os nad y fi na chdi, Felix, pwy?'

'Ma'r steshon 'na'n berwi efo dodji bobis, medda nhw. Be am DC Jones?'

'Na, dim ffiars o beryg. 'Di o ddim y gyllell fwya miniog yn y drôr, ond mae o'n hollol strêt. Lle ti'n ca'l y syniad bod y ffôrs yn llawn corypshiyn?'

'Bac-handars a blaind-ais, dyna'r sôn.'

'Nonsans.'

Cododd Felix ei ddwylo a'u lledu'n ddiffuant o'i flaen. Syllai Richardson arno'n ddifrifol gan ysgwyd ei ben y mymryn lleiaf.

'Ma rhywun wedi chwalu'r tâp 'na, Ian, yr unig efidyns fysa'n gallu brifo dy frawd bach. Sori, hanner brawd bach.'

'Pam na chdi a'th i nôl y tâp o'r garej, Felix? Pam ddaru DC Jones ddim mynd?'

''Chos fi oedd yr unig un oedd yn gif y ffyc. Doedd 'na ddim, a does 'na ddim, ymchwiliad i'r ymosodiad ar Dylan Tomos. I iwshio un o dy leins di, os dim fi, pwy?'

'Dwi'n gweld.'

'Eniwe . . .' dechreuodd Felix.

'BETH BYNNAG!' bloeddiodd y Llyn o'r ystafell fyw.

'Beth bynnag . . .' dechreuodd Felix eto.

'Mae o'n medru clywad hyn i gyd?' sibrydodd Richardson.

'Mae o'n gwbod y cyfan yn barod; rhyw fath o consilieri ydi fy ffrind. Rhywun i nadu fi rhag mynd yn rhy bell oddi ar y trywydd cywir . . . BETH BYNNAG, doedd y tâp ddim yn y garej, roedd yn rhaid i mi fynd i weld y perchennog.'

'Pam?'

'Am 'i fod o'n newid y tapiau bob dydd Sul, ac roedd hi'n ddydd Sul.'

'Felly dyma'r staff yn rhoi cyfeiriad cartra 'u bòs i ddyn diarth? Uffar o seciwriti sisdym.'

'Dim cweit mor hawdd â hynna . . . ta waeth, tw cyt ê long stori . . . ar ôl tracio fo i lawr, perchennog y garej – Foxham – yn ei dŷ mawr crand yn y Borth, ges i'r tâp.' Gwelodd Felix osgo'r DS yn newid. Plethodd ei ddwylo o'i flaen a llithrodd y tensiwn o'i wyneb. 'Ti'n nabod o?' gofynnodd Felix, er ei fod yn gwybod yr ateb yn barod.

Siglodd Richardson ei ben cyn pwyso ar ei ên lwydaidd. 'Ti'n gwbod be 'di enw tad fy mrawd, dim enw 'mrawd. Mae o 'di cymryd enw Mam, neu yn hytrach cyfenw Mam pan oedd hi'n briod efo nhad. Ond tad Kevin ydi Gerald Foxham.'

'Ti'n tynnu 'nghoes i?' dywedodd Felix.

'Ti'n gweld fi'n chwerthin?' atebodd y DS. 'Dwi 'di colli tabs ar Foxham ers i Mam gael i ffwrdd oddi wrtha fo. Rhedeg gardyn sentyr yn Gaerwen oedd o 'radeg hynny, a hwnnw'n hen le priti ryn dawn.'

'Ffycin Foxham,' ysgyrnygodd Felix.

'MI SONIODD BURGESS RYWBETH NEITHIWR, NATH O DDIM?' bloeddiodd y Llyn o'r ystafell drws nesa.

'Mae gin dy ffrind di glystia fel ystlum,' dywedodd Richardson.

'Ffycin Foxham, llwynog slei go iawn.' Roedd Felix yn ysgwyd ei ben byth ers i Richardson roi'r newyddion iddo mai'r dyn busnes o Borth oedd tad Kevin Richardson. 'Pan es i yno, i nôl y tâp, roedd o'n ymddwyn fel petai o'n malio dim am ddim byd. Digon cyfeillgar, cofia.'

'Pan aeth o i nôl y tâp, nath o gynnig i chdi wylio'r digwyddiad yn y fan a'r lle?'

'Do.'

Tro y DS oedd hi i ysgwyd ei ben. 'Hen dric, o'r clybiau nos yn New York yn y saithdega'. Deud bod 'na ryw ddigwyddiad fel llofruddiaeth, neu dryg byst. Ma'r copars yn dod i weld y ffwtij ar y syciwryti têps ac ma'r rheolwr, i brotectio'i glientél – dryg dîlyrs a gangstyrs fel arfar – yn rhoi magnet bach wrth ail olwyn y casét sydd wedyn yn chwalu'r tâp wrth iddo fo gael ei chwara.'

'Felly, trwy wylio'r tâp cyn mynd â fo i'r steshon, ro'n i yn dinistrio'r efidens ar ran dy frawd a'i dad?'

'Yn union fel roedd Foxham yn obeithio, ma genna i ofn, Felix. Clyfar iawn, ti'm yn meddwl?'

Neidiodd Felix i eistedd ar y cownter marmor, a rhwbio'i wyneb â'i ddwylo. 'Dwi methu ca'l 'y mhen rownd hyn. Be 'di perthynas dy frawd efo'i dad?'

'Dim syniad. Fel dwi'n deud, dwi ddim 'di gweld Foxham ers blynyddoedd, a dwi prin yn siarad efo Kevin.'

'Pryd welist ti dy frawd ddwytha?' gofynnodd Felix, er ei fod eisoes yn gwybod yr ateb i'w gwestiwn. Cododd Richardson ei ben yn araf a syllu i fyw llygaid Felix. Daliodd yntau lygaid Richardson â gwedd feddal, ddiniwed. Yna newidiodd y DS, yn sydyn, i lygadrythu heibio i glust chwith Felix.

'Dwi ddim wedi siarad hefo Kevin ers dechra'r flwyddyn, pan ddaru fo drio cael hanner can punt allan ohona i i roi bloda ar bedd Mam. Annhebygol, a dweud y lleiaf.'

’Di o’m ’di deud celwydd, yn dechnegol beth bynnag, meddyliodd Felix.

‘Be nest ti?’

‘Rhoi hanner can punt idda fo.’ Edrychodd yn ofalus eto ar Felix.

‘Ia, be ’nei di,’ dywedodd Felix gan edrych ar ei draed. ‘Ers pryd ma dy fam wedi . . .’

‘Gwyddeles oedd Mam. Ti ’di clywed am lyc of ddi Airish? Wel, heblaw am lwc ddrwg fysa Mam ddim ’di ca’l unrhyw lwc o gwbwl. Prodi sgwadi ifanc yn sicstîn, Dad. Hwnnw wedyn yn mynd i’r Falklands . . . Gogledd Iwerddon . . . Adra’n ddarna bach.’ Roedd Richardson yn pwyntio at ei ben. ‘A Mam yn methu rhoid o’n ôl at ’i gilydd. Nath o lwyddo i gael ei hun ar y ffôrs, ond doedd o’n fawr o gopar fel dwi’n dallt, ac a’th o’n alcyholic. Pathetic. Pan o’n i’n un deg saith, mi redodd Mam i ffwrdd hefo Foxham, a finnau’n mynd i’r Welsh Gârds, fel ’y nhad. Welis i mono fo wedyn, mi foddodd yn ’i chwd ’i hun pan o’n i’n dechra yn y ffôrs. Fel dwi’n deud, pathetic. Ro’n i’n gweld Mam bob Dolig a weithia, pan fedrwn i, ar ei phen-blwydd. Wedyn, yn sydyn reit, dyma Kevin yn cyrradd. Hogyn bach distaw, trist yr olwg. Ro’dd Foxham i weld yn ocê, braidd yn bell i ffwrdd oddi wrth bawb, byw a bod yn y lle garddio, busnas, busnas, busnas, ti’mbo?’

Pwyntiodd y DS at y pot coffi ar yr hob.

‘O ia, y coffi,’ dywedodd Felix gan ddechrau hel y cwpanau. ‘Du ta gwyn?

'Du'

'Siwgwr?'

'Na. Y peth oedd, roedd Foxham yn hollol wahanol pan o'n i ddim yno, fel nes i ddallt petha wedyn. Ro'dd o'n cyhuddo Mam o gael affêrs ac yn gwrthod rhoi pres iddi. Weithia roedd o'n 'i chau hi mewn stafell yn y tŷ trw'r dydd. Yn diwadd, nath Mam jest gadal pob dim, mynd â Kevin, oedd tua wyth oed erbyn hyn, ac yn dal bws i ffycin Rhyl. Meddylia anhapus oedd hi, os na Rhyl oedd yr ateb.'

'Ma 'na lefydd gwaeth,' awgrymodd Felix.

Rhoddodd gwpan bach o goffi cryf i Richardson ac aeth ag un arall drwadd at y Llyn. Pwyntiodd at y gadair wrth roi'r gwpan iddo a lledu'i lygaid unwaith eto. Nodiodd y bardd i gydnabod ei fod yn ddeall, gan godi'r flanced wlân a'i gosod dros ei goesau a breichiau'r gadair.

'Oes 'na siwgwr yn hwn?' holodd y bardd.

'Oes, dau.'

'*Dwy* lwyad, Felix. Dwi'n trio rhoi gora 'ddi,' meddai'r Llyn gan daro'i fol yn ysgafn.

'Bronna caled, does 'na'm un arall i ga'l.'

'Dwi'n falch, ma'n gas genna' i goffi heb siwgwr.'

Cerddodd Felix yn ôl i'r gegin gan ysgwyd ei ben, daeth Richardson i'w gyfarfod, y ddwy gwpan goffi yn ei ddwylo.

'Ffansi sit down,' dywedodd y DS.

'Ia, bob cyfri,' dywedodd Felix gan gymeryd ei goffi a throi ar ei sowdl am yr ystafel fyw.

'Tydio ddim fel bod dy gyfaill, Misdyr Bala, ddim

yn gallu clywed popeth, eniwe,' dywedodd Richardson. Gwelodd Felix fod y Llyn ar fin cywiro'r DS a rhoddodd ei wyneb mwyaf llym ymlaen i'w atal. Edrychodd hwnnw'n ôl ar ei ffrind fel tasai'n rhwystro'i hawliau dynol. Eisteddodd y ddau gyferbyn â'i gilydd, Felix yn ei gadair jazz a Richardson ar y soffa, gwely neithiwr y Llyn os na fuasai wedi meddwi gormod i symud o'i sedd.

'Rhyl. Be wedyn?' gofynnodd Felix.

'Dyna ddiwedd ar Foxham yn ein bywydau. Dwi 'di weld o'n pasio ambell waith yn y fintej Jag 'na sgynno fo, a 'di osgoi o wrth fynd rownd Tesco unwaith, ddats abawt it rîli.'

'A dy frawd a dy fam?'

'Dwi'n eitha sicir bod Mam ddim wedi ca'l ddim byd i neud hefo'r dyn ers iddi ddianc o Gaerwen. Ond ma Kevin yn rhwbath arall.'

'Pam?'

'Ffycar drwg 'di o 'di bod erioed. Wastad mewn trwbwl, dwyn o siops, yfed yn y parc, fandaleiddio, sniffian gliw efo'i fêts ritardud. Dwi'm yn jocian, roedd o'n mini craimwêf ar 'i ben 'i hun bach. Felly, Felix, ella 'i fod o 'di mynd i chwilio am ei dad, ella fod 'i dad o wedi'i ffeindio fo. Dwi ddim yn gwybod.'

'Os ydi o'n gymaint o lond llaw, pam tydi dy frawd ddim yn jêl?'

'Mae o 'di ca'l 'chydig o taging ordyrs, ffeins ac yn ddiweddarach yr ASBOs da-i-ddim 'ma. Ond be 'nei di, os na 'di dyn yn robio banc neu'n mwrdro rhywun . . .'

‘Be ti’n ddeud, ma’r jêls yn llawn, a’r llysoedd yn gwrthod gyrru peti crims lawr?’

‘Ma hynna’n eitha aciwret.’

‘A wedyn ma tosars bach fel Kevin Richardson, no ’ffens, yn ca’l ’u traed yn rhydd i chwalu bywyda pobol fel lecith nhw.’

‘C’mon Felix,’ dywedodd Richardson. ‘O’n i’n meddwl mai’r Copars oedd i fod yn rait wing riacsionaris.’

Dyma Felix yn crafu’i ben a chwerthin, dechreuodd y Llyn chwerthin hefyd gan ryddhau rhywbeth maint sglefren fôr yn ei fronci a dechreuodd dagu fel morlo’n cyfarth. Roedd o’n dawnsio yn ei sedd, a disgynnodd y flanced i’r llawr.

‘Iesu, ti’n iawn?’ gofynnodd Richardson gan hanner gwenu a rhychu’i dalcen ar y bardd. Neidiodd Felix o’i sedd a gosod ei gorff rhwng y DS a’i ffrind.

‘Yndi, siŵr iawn. Yli Ian, rhaid i mi ga’l y bar yn barod i agor os . . .’ Estynnodd ei law gan wahodd y plisman i godi a gadael y fflat. Edrychodd Richardson yn syn arno, a’r Llyn yn dal i ruo tagu y tu ôl iddo. Roedd Felix yn ymwybodol o’i ymddygiad rhyfedd, ond roedd o wedi mynd i banic ac am osgoi, ar bob cyfri, rhoi cyfle i’r DS adnabod y gadair.

‘Ia, iawn. Lle wyt ti am i fi fynd hefo’r wybodaeth newydd ’ma, Felix?’ Cododd o’i sedd ar y soffa.

‘Beth am i ni adal petha i fod am y tro? Gewn ni i gyd thinc bach am betha, ia?’

Edrychodd Richardson dros ei ysgwydd ar y Llyn yn

troi'n lliw oren fel cranc mewn dŵr berwedig. 'Ocê, be am i fi alw draw heno, ar ôl gwaith?' Roedd braich y Llyn i fyny yn syth o'i flaen a'i fawd allan i arwyddo ei fod yn iawn. 'Dwi'n gorfod mynd i sir Fôn rŵan i ganfasio o gwmpas y pentrefi bychan lle roedd y tân mawr 'na neithiwr.'

'O? Glywis i'm byd,' dywedodd Felix, yn gelwydd diangen. 'Ia, wela i chdi'n nes mlaen ta, Ian . . . Ti'n iawn 'wan, Llyn? Da iawn, da iawn.' Wrth siarad, yr holl adeg, roedd yn hebrwng y DS, gyda llaw gyfeillgar am ei fraich a chamau bychain, i gyfeiriad drws yr ystafell fyw.

Aeth y ddau i lawr y grisiau cefn cul a serth, a Felix yn chwarae gyda thusw o oriadau. Dangosodd y goriad penodol i'r DS a dweud, 'Na'i adal chdi allan trw'r cefn, 'li. Mae o'n gynt, a dwisho hel y binia, beth bynnag.'

'Iawn. Ateb un peth i fi, Felix?'

'Siŵr iawn.'

'Pam ti'n poeni gymaint am hyn i gyd? 'Di o'm yn rhoid pres yn dy boced na'n gada'l i chdi gysgu'n dawel gyda'r nos, stŵr fel 'ma.'

Agorodd Felix y drws cefn.

'Pam ddaru dyn lusgo'i hun allan o'r gors yn y lle cynta?'

Dyma Richardson yn chwythu'n sydyn allan o'i ffroenau ac yn rhwbio'i drwyn. 'Digon teg Felix, digon teg.'

Drwg y ceidw'r diawl ei was

Yn hwyrach, gadawodd y Llyn am dŷ Sioned gan fwriadu mynd gyda hi i weld Dyl Mawr yn yr ysbyty y bore Sadwrn hwnnw. Eisteddodd Felix wrth y bwrdd mwyaf yn y bar, gyferbyn â drws y fflat, yn y cefn. Roedd mynydd o bapurau a ffeiliau o'i flaen mewn bwndeli twt, ynghyd â chyfrifiannell, beiros du a choch a phennau amlygu. Bu'n pori dros y biliau a'r gwaith treth a chyflogau ers dros awr ac roedd hi'n agosáu at amser agor. Safai Mike Glas-ai tu ôl i'r bar yn gloywi gwydrau gyda chadach. Roedd y gwydrau'n dal i stemio wedi iddynt ddod allan o'r peiriant golchi. Gweithiodd Mags ei ffordd yn ôl eto am y bar o ben blaen y dafarn gyda'i mop. Glanhaodd y llawr gyda diheintydd eisoes ac roedd hi nawr yn ei olchi â dŵr glân. Roedd Mags, yn ôl ei harfer, yn drylwyr iawn . . .

Dechreuodd Felix grafu croen ei ben fel hen gi ar ôl chwannan. Hon oedd ei gas ddyletswydd fel dyn busnes, a doedd ei hwyrfrydigrwydd ddim yn gwneud unrhyw beth i leddfu'r boen. Cafodd gip drwy gil ei lygaid ar gysgod, fel bws yn pasio, yn croesi o'r chwith i'r dde ar draws ffenestr fawr flaen y Penrhyn. Edrychodd tua'r ffenestr, ond yn rhy hwyr i weld beth oedd wedi achosi'r cysgod. Yna daeth ail gysgod, a gwelodd mai dyn, clamp o ddyn yn wir, oedd yno a hwnnw bron â chreu diffyg ar yr haul. Roedd y cawr wedi mynd mewn eiliad, yn amlwg ar frys i rywle. Yna daeth clec anferth i lenwi'r ystafell. Teimlai'r ergyd, a ddaeth o gyfeiriad y drws ffrynt, gymaint yn uwch o chwalu'r distawrwydd a fu. Gwichiodd sedd Felix ar hyd y llawr, wrth iddo droi heb godi i wynebu'r ffrwydrad. Roedd Mags wedi gollwng ei mop ac wedi symud oddi wrth y drws mewnol. Estynnodd Felix ei law er mwyn dweud wrth Mike am aros ynghudd tu ôl i'r bar.

Daeth clec arall a sgrialodd y drws mewnol, fel sglefrfwrdd, ar lawr llechan gwlyb y bar. Roedd colynnau'r drws a'r ffrâm o'i gwmpas yn deilchion.

Ocê. Meddyliodd Felix. Roedd ganddo feiro Bic du yn ei law, a safai cudynnau o'i wallt am i fyny, fel gwallgofddyn, lle bu'n crafu'i ben. Nid oedd Felix yn ymwybodol o sut yr edrychai, a cheisiodd ymddwyn yn cŵl, yn eistedd yn ôl yn hamddenol yn ei sedd bren. Ymddangosodd un, yna ail, ddyn anferth, penfoel, ym mar y Penrhyn Arms. Roeddynt yn gwenu'n ddrygchwantus, y cyntaf yn cario morthwyl pren anferth a'r llall gyda chyllell masheti a'i llafn wedi'i hogi'n arian llachar. Meddyliodd Felix eu bod yn edrych fel cwpwl o telitybis ar rampeij. Edrychodd ar Mags, a oedd lai na deg troedfedd o'r ddau ormeswr a gweld ei bod yn sefyll yn syth o'u blaen, ei phen wedi gwyro'n wylaidd a'i dwylo'n llipa wrth ei hochr. Hogan dda, meddyliodd Felix.

Roedd y ddau, brodyr efallai, yn amlwg yn codi pwysau – fwy na thebyg gyda chymorth cyffuriau steroids – wedi canolbwyntio eu sylw'n syth ar Felix. Dyma Misdyr Morthwyl yn pawennu Mags i'r naill ochr ac yn dechrau camu'r dwsin o fetrau tuag at ei darged, lwmp y morthwyl yn ei law chwith a'r handlan yn y dde. Gafaelodd Misdyr Masheti yn ysgafn ym mlaen gwallt Mags a chodi'i phen i cael golwg arni. Roedd ei llygaid ar gau yn dynn.

'Mmmmm,' dywedodd a'i gollwng yn rhydd. Dychwelodd Mags i syllu ar ei sgidiau, a dilynodd Misdyr Masheti ei ffrind i lawr y bar.

Yna digwyddodd popeth mewn fflach. Yr eiliad y synhwyrodd Mags ei bod yn rhydd o sylw'r ddau labwst, dyma hi'n codi'i phen ac yn gwyro ar ei chwrcwd. Roedd Misdyr Masheti yn syth o'i blaen, â'i gefn ati, a dyma Mags yn chwipio'i choes dde mewn cylch a chysylltu, fel bwyell wrth fôn coeden, â'i ffêr dde. Roedd o dan draed yn dal yn wlyb ac roedd hyn, yn anffodus i Misdyr Masheti, yn help iddo godi'n gyfan gwbl oddi ar y llawr llechen. Cwblhaodd disgyrchiant y gwaith a glaniodd chwinciad yn ddiweddarach ar led ar hyd ei gefn. Daeth clec gyfoglyd wrth i'w ben moel, gloyw dderbyn ei ffawd anochel ar y llawr caled. Roedd Mags wedi rhoi bloedd dreiddiol wrth gyflawni'i symudiad, ac roedd Mistyr Morthwyl wedi troi 'mond mewn pryd i weld pen ei ffrind yn mynd yr un ffordd â Hymti Dymti, ei fasheti'n sglefrio o'i law ac yn diweddu o dan sgiw y ffenest.

Roedd Mags wedi troi drwy'r tri chant chwe deg gradd, ac fel oedd Misdyr Morthwyl yn prosesu ffawd ei ffrind cysylltodd troed y ferch Tsieinïaidd yn ffyrnig o gyflym ac yn syth o dan ymyl chwith ei ên yntau. Gollyngodd lwmp y morthwyl ond cadwodd afael ar yr handlan. Ysgydwodd ei ben, a daeth gwaed fel glafoer i ochrau'i wefus. Roedd yn amlwg wedi brathu'i dafod. Edrychodd i lawr ar Mags oedd yn edrych i fyny 'nôl ar y cawr.

Yn y cyfamser roedd Felix wedi codi o'i sêt ac yn arwyddo gyda'i law dde tuag at Mike Glas-ai tu ôl i'r bar. Gwyddai yntau beth oedd ei gyflogwr ei eisiau, a dyma Mike yn gwyro ac yn estyn yr offeryn. Tra oedd y cawr a oedd yn dal i sefyll yn edrych i lawr ac yn diferu gwaed dros ei ymosodwraig, lluchiodd Mike Glas-ai y bat pêl-fas dros y bar at Felix. Daliodd yntau'r bat yn gadarn, ac mewn un symudiad camodd ymlaen a throelli'r offeryn nes ei fod yn hedfan, mor nerthol a chyflym ag oedd amser yn caniatáu, o'r llawr am i fyny a rhwng coesau Misdyr Morthwyl. Disgynnodd y morthwyl i'r llawr ac yna, eiliad yn ddiweddarach, roedd y cawr ar ei bengliniau.

Awwww, meddyliodd Felix.

Awwww, meddyliodd Mike.

'Uhuuuuu,' dywedodd Misdyr Morthwyl.

Rhoddodd Mags gledr ei llaw dde, gyda'i holl nerth a thro ychwanegol o'i thorso, yng nghanol wyneb y cawr. Ffrwydrodd ei drwyn, fel pe bai rhywun wedi gwasgu mefusen fawr aeddfed ar ei wep, a disgynnodd yn ôl gan orfodi ei bengliniau oddi ar y llawr ar ongl anghyfforddus. Roedd yn gafael ar ei gesail morddwyd, siŵr o fod yn ceisio darganfod ble yn union diweddodd ei geilliau.

Roedd y ffrwgwd drosodd mewn dim, ac am rai eiliadau yr unig sŵn yn y bar oedd sisial gwichlyd y golau'n chwifio uwchben y fan lle roedd drws mewnol yr ystafell yn arfer bod.

'Ffy-cin hel Mags, atgoffa fi i roi codiad cyflog i chdi 'nei di?' dywedodd Felix.

Roedd Mags 'nôl ar ei thraed ac yn cicio'r morthwyl pren i ffwrdd o afael ei berchennog. Ysgydwodd ei phen a wincio'n nerfus ar Felix gan ddawnsio'n ysgafn ar fodiau'i thraed. Dyma Misdyr Masheti yn dechrau griddfan wrth ochr Mags.

'Mae o dal yn fyw, beth bynnag; a'th o i lawr mor sydyn o'n i'n meddwl fod o 'di diflannu nes i mi glywad y glec.' Roedd Felix yn mynd trwy bocedi jîns Misdyr Morthwyl ac yn tynnu goriadau, gwm cnoi a tua phum can punt wedi'u plygu – papurau hanner can punt y cyfan ohonynt. 'A be 'di hwn?' dywedodd Felix. 'Betia'i chdi bod Twîdl Di yn fanna hefo un o rhein hefyd.' Chwifiodd y pecyn pres yn yr awyr cyn ei daflu ar y bar wrth ymyl Mike. 'Mike, dos i'r stôr-rŵm i nôl y mascin' têp, reit handi.'

'Bòs,' dywedodd Mike gan ddod oddi amgylch y bar a diflannu i'r storfa gefn.

'Blydi 'el, ma 'na olwg ar y bois 'ma.' Ciciodd Felix

goesau Misdyr Morthwyl fel eu bod ar eu hyd ar lawr, roedd ei ddwylo'n dal i gydio'n dynn o gwmpas ei falog. Roedd yn wynebu'r nenfwd a dechreuodd dagu'n frwnt, sŵn ei waed yn golchi'n ei wddf. Gwthiodd Felix y dyn ar ei ochr a phoerodd yntau lond ceg o boer coch tywyll ar y llechen damp.

'A Mags newydd llnau hefyd,' dywedodd Mike gan ailymuno â'r cwmni. Rhoddodd y tâp i Felix a dechreuodd hwnnw glymu traed y cawr cyntaf.

'Dos i lenwi bwcad, Mike. Dŵr oer, a rho bach o rew yn'y fo,' dywedodd Felix wrth glymu dwylo'r dyn gyda'i gilydd hefyd. Roedd Mags yn y cyfamser yn efelychu Felix ac yn prysur rwygo stribedyn hir o'r tâp gludiog cyn ei glymu o gwmpas migyrnau Misdyr Morthwyl. Meddyliodd Felix pa mor ryfedd oedd, am ddau ddiwrnod yn olynol, ei fod yn clymu dyn yn erbyn ei ewyllys. Strêinj deis indîd . . . . meddyliodd.

'Mowst peciwliyr mama,' dywedodd Felix allan yn uchel.

'Be?' gofynnodd Mags. Ysgydwodd Felix ei ben. Aeth drwy bocedi Mistyr Masheti a darganfod pecyn arall o arian papur yng nghefn ei jîns du. Rhoddodd y pres ar y bar wrth y pecyn arall. Cafodd afael dan ei gesail a'i lusgo, ac yntau'n dal i riddfan, i eistedd ar lawr â'i gefn yn gorwedd yn erbyn wyneb y bar. Edrychodd ar yr ail ddyn, a Mags wrthi'n gorffen clymu'i freichiau'n dynn i'w gorff â'r tâp, nid oedd wedi llwyddo i gael y creadur i ryddhau ei afael ar ei boendod. Cododd Felix i archwilio'r difrod i ddrysau'i dafarn, a dyna lle roedd Burgess yn sefyll wrth yr adwy yn edrych dros yr olygfa.

'I'll come back later, shall I?' dywedodd cyn troi a cherdded allan o'r Penrhyn Arms.

Aeth Felix ar ei ôl a gweld bod y ddau gawr wedi chwalu'r clo Yale oedd yn cau'r prif ddrws. Nid oedd y bolltyn wedi ei dynnu ar y pryd ac felly, yn ffodus, roedd modd rhoi clo unwaith eto ar y drws ffrynt. Caeodd y cyrtans trwchus dros y ffenest fawr a daeth tywyllwch i'r Penrhyn ar wahân i wyrddni lletglir golau'r dihangfeydd tân uwchben y drysau, neu'r hyn oedd yn weddill o'r drws yn achos y drws mewnol.

Cynheuodd Mike Glas-ai y goleuadau mawr a daeth â bwced blastig, llawn dŵr a rhew, o gwmpas y bar a'i osod wrth draed Felix.

'Ocê Mags, cariad. Dos 'wan ia. Allan trw'r cefn.'

'No wê Felix, dwi'n aros. Dwisho gweld be ma'r ffycin robars 'ma'n mynd i ddeud wrth y cops.'

'Dim copars, Mags. Ti'm 'di sylwi, dwi ddim 'di ffonio neb?'

'Pam?' gofynnodd Mags yn siarp.

'Ma'n well os ti'm yn gwbod Mags, wir.'

'Wel, tyff Felix. Dwi'n aros, so cymon, be sy'n mynd ymlaen?'

Gafaelodd Felix yn ysgafn ym mraich Mags a'i cherdded i gefn y dafarn. Tynnodd hithau'i hun yn rhydd o'i afael a lledaenodd Felix gledrau'i ddwylo tuag ati'n ymbilhar. 'Gwranda Mags . . .' Roedd Felix yn sibrwd fel pe bai'n rhannu cynllwyn. 'Wedi ca'l 'u gyrru yma i neud i fi be ti newydd neud iddy' nhw ma'r ddau gorila 'na.'

'Gan pwy?' mynnodd Mags

'Gan . . . tydio ddim ots pwy. Dwi ddim isho chdi yng nghanol hyn i gyd.'

'Ond dwi yma Felix, ded sentyr.' Safodd Mags yn syth a phlethu'i dwylo o'i blaen.

'Ia, lwcus i fi fod chdi yma. Dwi mynd i orfod cael 'rhein,' taflodd ei ben yn ôl am y bar, 'i ddeud pwy sydd 'di gyrru nhw, ti'mbo?'

'Tortshro nhw ti'n feddwl?' dywedodd Mags yn ddidaro.

'Na, na . . .' Rhwbiodd ei wyneb. 'Bygwth nhw, trio dychryn nhw ella.'

'Tydi nhw ddim yn edrych fath â'r sort sy'n dychryn yn hawdd iawn Felix.'

Dyma'r ddau yn chwerthin yn sydyn. 'Efalla ddim. Ond ti ddim angen bod yma Mags. Dwi ddim isho nhw i weld chdi, ocê?'

'Ond ma'r boi 'na efo'r gyllell anfarth 'na 'di gweld 'y ngwyneb i'n barod.'

'Mags,' dywedodd Felix, gan droi i edrych ar y dyn yn eistedd ar lawr y bar a'i ên yn gorwedd yn llac ar ei fron. 'Dwi'm yn meddwl bydd y ffŵl 'na'n cofio'i enw'i hun pan ddeffrith o.'

'Olreit, be am hyn,' dywedodd Mags gan wthio heibio Felix a diflannu i fewn i'r storfa. Dechreuodd

Felix ei dilyn a dyma Mags yn ailymddangos â chadach sychu llestri gwyn, newydd sbon, wedi'i glymu o gwmpas ei hwyneb o dan ei llygaid. Roedd un arall yn ei dwylo a chlymodd hwnnw o gwmpas ei gwallt fel bandana.

'Dwi ddim yn gwbod pam dwi'n meddwl fod neb yn mynd i wrando arna i, byth. Os ti'n aros, dos tu ôl i'r bar allan o'r golwg a cau dy geg, iawn?'

'Oci coci, bòs.' A cherddodd yn ôl am y bar. Wrth iddi basio Misdyr Morthwyl, a oedd yn dal i orwedd ar ei ochr ar lawr, dyma hi yn rhoi mwytha addfwyn iddo ac yn sgipio dros ei goesau.

Blydi hogan rhyfadd ydi'r Mags 'ma, meddyliodd Felix, ond dwi'n falch 'i bod hi ar y'n hochr ni.

Lluchiodd Felix lond gwydryn peint trwchus, wrth afael yn ei handlan, o ddŵr rhewllyd i wyneb Misdyr Masheti. Ysgydwodd yntau ei ben fel petai ar ganol cael ffit a dechreuodd fwngial fel rhyw fynach yn gweddïo. Cafodd beint arall ei dywallt yn araf dros ei ben moel, ond nid agorodd ei lygaid. Teimlodd Felix gefn ei ben a darganfod hematoma go swmpus yno.

'Ma hwn hefo'r fferis am heddiw, dwi'm yn ama,' dywedodd Felix wrth Mike. 'Helpa fi efo'r llall.'

Cafodd y ddau afael dan geseiliau'r cawr arall a'i lusgo i eistedd wrth ymyl ei ffrind. Roedd Mister Morthwyl yn effro ac yn rhythu fel anifail gwyllt ar Felix a Mike, a'r gwaed yn diferu'n drwchus o'i drwyn a'i geg.

'Welcym tw ddy Penrhyn Arms, big man,' dywedodd Felix gan wyro o'i flaen ac edrych lygad yn llygad arno. 'Can ai get iw symthin? Y paint, meibi?'

'You broke my fuckin' nose,' dywedodd hwnnw gan boeri gwaed a glafoer i gyfeiriad Felix.

Cymerodd yntau gam yn ôl. 'No, no. Strictli spîcin, ddat was ddy wyrc of mai Tshainîs bodigard, Mai Ling Bo. Ffigyrd iw wyr cymin, swnyr or leityr.'

'Who fuckin' told you?' gofynnodd y bwystfil mewn acen sgowsar gref.

'Ai asg zi cyfestiyns,' dywedodd Felix yn ei acen Almaenaidd orau.

'What the fuck's that supposed to mean?'

'Lisyn scowsman, iw want tw go hôm, get iôr nôws fficsd. Ansyr e ffiw cwestiyns and ai'l cyt iw lŵs, and iôr meit Slîping Biwti. Wat dw iw sei?'

'Or what? You'll call the rozzers? I don't think so. Look at us, tied up, blood everywhere – and fuckin' robbed, our pockets turned out.'

'Or, wi têc iw symwêr nais an cwaiyt and meic iw dig e cypyl of hôls, big ffycin hôls maind, dden wi go hôm, iw down't. Capish?'

'Bullshit.' Syllodd y cawr ar Felix, ac edrychodd yntau'n ôl arno'n daer a chloriau'i lygaid yn drwm. 'Let's say we don't know any of the answers to your fuckin' shitty questions, what then, chief?'

'Let's si haw wi get along shal wi?' Roedd y ddau yn dal i syllu ar ei gilydd, y byd yn sydyn reit yn lle bach iawn. 'Hŵ geif iw ddy ffaif hyndryd, witsh ai'm cîping bai ddy wei, tw pei for ddy tŵ dors.'

'You're keeping the whole grand, my brother's five as well?' gofynnodd y cawr, yn dechrau trafod.

'No, hi didynt swing the hamyr now did hi. Ôl hi did wys get his scyl cracd. Not mytsh of y bac yp, wos hi.'

'How was he supposed to know you had Bruce fuckin' Lee cleaning your floors?'

'Ffêr point, big man.'

Dywedodd y sgowsar. 'When you get a visit from two big hardmen . . .' Dyma Felix yn chwerthin yn wawdlyd wrth iddo ddweud hyn. '. . . from Liverpool, you really don't have to ask who sent them, it's not an everyday occurrence is it?' darfododd y dyn gan rwbio'r gwaed o'i ffroenau ar ei ysgwyddau, yn dechrau ymlacio.

'So, it's ddy drygs conecshiyns?'

'Well done, Sherlock fuckin' Holmes.'

'Hŵ gêf ddi ordyr, hŵ actiwli splashd ddy cash?'

Gwenodd y Sgowsar yn anghyfforddus a gwrthod edrych i lygaid Felix. Ochneidiodd Felix a chodi o'i gwrcwd.

'Help mi têc this one,' Ciciodd droed lipa y brawd anymwybodol, ac edrychodd ar Mike. 'Wî'l lôd him on ddy fan redi tw go.' Dechreuodd y ddau wyro i godi'r brawd, er nad oedd fan, wrth gwrs, i'w chael.

'Hold on, hold on,' dywedodd y dyn. 'I get it, you're not a man to be trifled with, right?'

'Ai'd hyrd iw Sgawsyrs had a sarcastic strîc. Byt,

ai promis iw, iôr bryddyr's breins in e shalyw grêf wil bi ddy last thing iw'l si ynles ai get sym ffycin ansyrs,' dywedodd Felix hyn yn bwyllog a distaw, gan obeithio bod ei ddawn actio'n ddigon da i dwyllo'r cawr.

'We were told to meet a guy on the island, get our orders from him.'

'Hw told iw?' Roedd Felix yn ôl ar ei gwrcwd.

'Just our usual agent in smackcity, five hundred from him, another from the guy on the island, and then another grand from the agent when we got back to Toxteth.'

'Ai don't thinc iw'l bi colecting ddat thawsynd pawds symhaw.'

'Doesn't look like it does it.'

'Ai'l let iw cîp ffaifhyndred iff iw tŵ disapîr for a wîc, don't go bac tw ddy 'Pŵl, go symwêr diffrynt, catsh e fferi tw Airlynd meibi.'

'Doesn't sound like a bad idea, bad for business to be seen all banged up like this.'

'Ddis gai on ddi ailynd, wher did iw mît yp?'

'His house.'

'Wher?'

'By the river, under the bridge.'

'Ddy streits iw mîn?'

'Yeh, that's it – whatever.'

'Big haws? Smôl?'

'Big fuckin house, white and bright. Big garden. Big fuckin' dogs. Dobbies, tails and ears done.'

'Wat's iôr neim?'

'My name?'

'And iôr bryddyr's.'

'We're the Brice brothers, known to police and the criminal fraternity.'

'Iw meic it sawnd laic e comydi dybyl act, not e cypyl o' nîcapyrs.'

'Ankles are our calling card, you'll limp for life if we do your ankles.'

'Tsharming,' dywedodd Felix gan godi ar ei draed.

'It's a living.'

'Wasynt twdei mai ffrend.' Estynnodd Felix ei law at Mike a rhoddodd yntau gyllell goginio chwe modfedd ynddi. Plygodd Felix a thorri drwy'r tâp oedd yn clymu dwylo Mr Brice. Rhoddodd y gyllell i'r Sgowsar. 'Iw can go. Can iw cari him on iôr own?'

Edrychodd Brice ar y gyllell yn ei law, prin yn credu'i phresenoldeb. 'I can manage, once we're both standin'.'

'Iff ai efyr si iw or iôr bryddyr in Bangyr agen – no, meic ddat north west Weils – it wil end badli. Iôr lyci iw côt mi in y gwd mŵd, Misdyr Brice.'

Edrychodd Felix dros ben Brice ar Mags, a oedd yn sefyll tu ôl y bar yn gwrando'n astud. 'Os 'di o'n trio rwbath efo'r gyllell 'na, rho swadan idda fo efo'r bat, 'nei di Mai Ling Bo?'

Cododd Mags y cadach oedd yn cuddio'i thrwyn a'i gên ac ynganu'n dawel, 'Mai Ling Bo, ffycin 'el Felix!' Gwenodd yntau'n gyflym arni a sylweddoli bod y cawr wedi ymateb y mymryn lleiaf wrth iddo grybwyll enw smal eu dymchwelwraig.

Prysurodd Brice ar ei waith o ryddhau'i goesau ac ochneidiodd wrth i waed ffres ddiferu o'i drwyn ar hyd ei frest a'i goesau. Ceisiodd sniffian y gwaed yn gyflym nôl i'w drwyn i atal y lif, ond yn ofer. Cododd yn simsan i'w draed gan gydio yn ei drwyn gyda'i fys a bawd. Gafaelodd Felix mewn llond llaw o rew a'i ollwng lawr cefn crys-t y brawd.

'Wow,' dywedodd hwnnw'n gysglyd. Agorodd ei lygaid ond roedd eu cloriau'n drwm arnynt, fel cerrig beddi. Rhoddodd Brice y gyllell ar y bar gan weld merch fechan yn sefyll o'i flaen, a dau gadach llestri am ei phen. Cuchiodd arni, a difaru'n syth wrth i esgyrn ei drwyn symud yn swnllyd gyda'r weithred. Ysgydwodd ei ben a griddfan yn isel. Gafaelodd dan gesail ei frawd gyda Felix yn cydio yn ei fraich dde. Aeth Mike o'u blaen ac agor y drws cefn. Gadawodd y cawr gan hercian yn gloff a hanner llusgo'i frawd, ei fraich chwith yntau'n gorwedd dros ysgwyddau Brice.

'O, Brice?' dywedodd Felix wrth eu cefnau, fel roedd yr haul yn taro'r ddau gawr. Trodd y ddau yn drafferthus i edrych yn ddigalon arno. Stwffiodd Felix un o'r pecynnau pum can punt i boced crys Brice. 'Hapi holideis.'

Pan dywyso y dall ddall arall, y ddau a ddygwyd i'r pwll

''SA BOBOL?' dywedodd lais o'r golwg ar ris y fflat. Y Llyn.

'Ty'd fyny,' atebodd Felix. Roedd o wrthi'n datgymalu'r gadair herwgipio gyda morthwyl lwmp a llif. Ymddangosodd ei ffrind yn yr ystafell.

'Mawredd annwl, Oswyn Felix. Ti'n colli arni dwa'?'

'Yndw. Dyna'r ateb syml i dy gwestiwn.'

'Soniodd Mike am y traffath gynna.'

'O. Dyna ti'n galw fo? Dau ffycin gorila anferth am roi Anffîld mêcofyr i'r pŷb a 'ngwyneb i. Bach o draffath?'

'Fyswn i 'di lecio gweld Mags wrthi, rhaid i fi gyfadda. Traffath mewn tafarn. Pwy ti'n feddwl ddaru'u gyrru nhw? Foxham?'

'Dim amheuaeth. Ffliwc llwyr bod Mags yn y lle iawn, ar yr amser iawn. Fyswn i yn y gwely drws nesa i Dyl fel arall. Dwi'n gobeithio bod nhw 'di prynu'r hardman gangstyr bwlshit act 'na.' Roedd y gadair yn ddarnau mawr o bren o'i flaen erbyn hyn a dechreuodd Felix lifo'r breichiau'n llai.

'Weli di mo'r bois yna eto. Tydi darostyngiad a methiant mewn gwaith o gyflawni trais a bygwth ddim yn gymysgedd sydd yn torthi briwia'. Fe fyddan nhw'n awyddus i gadw draw o faes y gad, nenwedig maes y methiant, am gyfnod beth bynnag.'

'Os fyswn i'n dallt be ddudes di fyswn i'n cytuno dwi'n siŵr. Rho'r tecell mlaen, Llyn.' Roedd Felix eisoes wedi rhoi clustog a defnydd y gadair mewn bag sbwriel mawr du. Dechreuodd lenwi un arall gyda'r coed. Clywodd y Llyn yn y gegin.

'Pryd ti'n disgwyl y DS?'

'Unrhyw funud, neu nes ymlaen. Nath o'm deud yn iawn.'

'Be 'di'r tic-tacs?'

'Wel Llyn, fy hen ffrind, dwi ddim yn ffycin gwbod. Ma petha' 'di mynd o ngafal braidd.'

'Braidd?' bloeddiodd y Llyn o'r cegin. Cododd Felix ddau fys i gyfeiriad y gegin. 'Hei, welis i hynna,' dywedodd y Llyn, er nad oedd hynny'n bosibl. Chwarddodd Felix ac ysgwyd ei ben.

'Sut ma Foxham wedi joinio'r dots atach chdi? Ti'n meddwl bod Kevin Richardson wedi dy nabod di neithiwr, ac wedi rhedag at Dadi? Neu bod Carwyn . . . ella?'

'Carwyn ella, be?' gofynnodd Felix wrth i'r Llyn ddod drwodd gyda phaned o goffi bob un.

'Wel, meddylia. Nath Carwyn dynnu'i fwgwd wrth smalio saethu Richardson yn y cwt, cywir?'

'Cywir.'

'Wedyn nes ymlaen ti'n ymddangos yn y cae ac yn ei adael yn rhydd. Ond ma Kevin Richardson yn nabod

Carwyn Keynes yn iawn, so ma'r gêm herwgipio gan y Profisiynals ar ben.'

'Yndi, ond sut ma Richardson a Foxham wedi cysylltu fi hefo Keynes? Yn enwedig mewn llai na diwrnod.'

Roedd Felix wedi symud i eistedd yn ei hoff gadair jazz, gyda thystiolaeth y gadair arall yn deilchion ac mewn dau fag ar lawr, y Llyn yn edrych arnynt ac yn ysgwyd ei ben yn drist. Fel pe bai'n sefyll uwchben bedd.

'Cadair gyfforddus honna, haeddu gwell.'

'Na phoener, bryna i un neisiach fyth wthnos nesa, 'li,' dywedodd Felix mewn cydymdeimlad. Eisteddodd y Llyn ar y setî, ac wrth i ddisgyrchiant dynnu'i gorff tal am y dodrefnyn, cafodd Felix ddarlun sydyn o glamp rhynllyd o iâ yn torri oddi ar eisberg anferth.

'Fel 'ma dwi'n 'i gweld hi,' dechreuodd y Llyn. 'Ma Richardson jiwniyr yn dianc o afael llofruddiog Carwyn Keynes ac yn rhedeg at y Big Dadi, Foxham. Ma Foxham a'i fab rhywsut yn rhoi dau a dau efo'i gilydd ac yn cael tafarnwr o Fangor Ucha. Ciw y ddau gorila.' Disgwyliodd eiliad cyn parhau. 'Egsit y ddau gorila. So, be ma Foxham yn mynd i neud nesa?'

'Gadal petha i fod, os 'di o'n gall. A gyrru'r mab gwallgo 'na i rywla oer i gwlio off.'

'A be ma'r DS a'r tafarnwr yn mynd i neud?' gofynnodd y Llyn wrth edrych yn ddiniwed ar ei ffrind.

'Dwi'n mynd i awgrymu wrth DS Richardson ein bod ni'n anghofio'r holl beth ac yn mynd ymlaen gyda'n bywydau fel y dinesyddion da yr ydan ni.'

'Oswyn y dinesydd da. Mae o'n swnio fel llyfr plant.' Roedd y Llyn yn dal gafael ar y llyfr plant smal, cogio troi tudalen a darllen. 'A dyma Oswyn yn gyrru'r ddau gawr am adref ac yn penderfynu suddo'i ben yn y ddaear gan obeithio na fuasent hwy na'u tebyg byth eto yn dychwelyd i dramgwyddo ar ei lonyddwch. Y diwedd.' Caeodd y Llyn y llyfr dychmygol yn ddramatig gan glapio'i ddwylo. 'Ti'n coelio mewn tylwyth teg hefyd, mwn?'

'Ha ha, ia iawn, chdi sy'n iawn.'

'Pan ti'n tynnu nyth cacwn am dy ben, rhaid gneud yn siŵr bod nhw'm yn dod nôl, cael gwared o'r diawlad unwaith ac am byth,' dywedodd y Llyn.

'Stretshio cyffelybiaeth, ond dwi'n ca'l y jist.'

Edrychodd y Llyn yn feddylgar ar Felix a dweud o ddifrif, 'Tydi reid fel'ma byth yn arafu'n raddol, a phawb yn dod i ffwrdd yn chwerthin a jocian, Felix. Ma'r cerbyd yn mynd yn rhy gyflym. Does dim ond wal yn mynd i ddod â hi i stop.'

'Dwys iawn.' Edrychodd Felix yn sobr ar y Llyn cyn gwenu mwyaf sydyn a rhoi clec i'w bengliniau gyda'i ddwy law agored. 'Peint?'

'Ydi'r afon yn llifo i'r môr?' atebodd y Llyn. Aeth y ddau allan o'r fflat yn cario bag plastig du, llawn darnau cadair, yr un.

Tri dyn sydd: dyn i Dduw, a wna dda dros ddrwg; dyn i ddyn a wna dda dros dda, a drwg dros ddrwg; a dyn i ddiawl, a wna ddrwg dros dda

■

CERDDODD DS Ian Richardson i mewn i'r Penrhyn gan edrych yn chwilfrydig ar ffrâm y drws mewnol. Gwelodd Felix a'r Llyn yn eistedd wrth y bwrdd gyferbyn â'r bar a phan ddaliodd y plisman eu llygaid dyma fo'n troi ac yn pwyntio at y gofod lle'r arferai drws fod a chodi'i aeliau. Roedd 'Love Will Tear Us Apart' yn chwarae ar y jiwcbocs a'r byrddau'n llawn o 'locals', tipyn wedi cael hanner y stori am firi'r bore gan rywun arall oedd wedi cael hanner y stori o rywle hefyd. Pawb yn mwynhau ceisio dyfalu beth oedd arwyddocâd y digwyddiad. Neb eto, a hithau'n wyth o'r gloch, wedi meddwi digon i ofyn i Felix am y jèn. Roedd Bangor Uchaf yn yr haf yn debycach i bentref na maestref dinas, pawb yn nabod busnes pawb a dieithriaid wastad yn denu sylw. Edrychodd Felix a'r Llyn ar Richardson heb ymateb, ac wrth iddo agosáu pwyntiodd y DS at y bar ac ystumio yfed peint gyda'i law arall. Ysgydwodd y ddau eu pennau arno gan bwyntio at eu gwydrau llawn a gwenu. Wrth iddo droi ei gefn ar y ddau ffrind i archebu'i ddiod dyma

Felix yn dweud, 'Ffycin hel, 'di'r boi 'ma ddim yn methu ffyc ôl, na'di. Doedd o ddim o gwmpas 'i betha bore 'ma ar ôl i ni 'i gidnapio a'i arteithio fo ddoe . . .'

'Gwaith ardderchog, gyda llaw,' dywedodd y Llyn.

'. . . diolch. Ond dwi'n falch fod o ddim yn mynd i ga'l y cyfla i stydio'r gada'r 'na eto, dwi'n deud 'tha chdi.' Trodd Richardson i'w hwynebu, peint o lager wrth ei wefus. 'Ian, ista.'

'Peint da gen ti'n fama, Felix,' dywedodd Richardson a mwstás o lager gwyn ar ei wefus.

'Off diwti, dwi'n cymyd?' gofynnodd y Llyn wrth y DS.

'Neu yndyrcyfyr efallai,' dywedodd Felix gan rhwbio'i ên a miniogi'i lygaid.

Eisteddodd Richardson gyferbyn â'r ddau, ei gefn at y bar. 'Dwi 'di bod yn dreifio rownd y ffycin ynys 'na trwy'r dydd yn chwilio am ryw peiromeiniac sy'n lecio gwatshiad caeau ŷd yn fflamio. Amhosib, cwbwl ffycin amhosib. Felly on diwti or off dwi'n haeddu'r peint 'ma.'

'Ar ôl i chdi adal bore 'ma, ges i fisityrs.'

Edrychodd y DS eto ar y man lle arferai drws hongian. 'Dyna be 'di'r renofeshyns 'ma?'

'O lwc, ma 'mhŷb i mewn gwell siâp na'r gangstyrs ddaru drio ga'l peint cyn i fi agor y'n nrysa,' dywedodd Felix gan edrych yn ofalus am ymateb y plismon.

'Nes di riportio nhw?'

'Nes i ddim,' atebodd Felix. 'Doedd 'na ddim byd i'w ennill o neud ffashwn beth.'

'Dwi'm yn dallt yr agwedd yna. Be 'di'r pwynt ca'l polis syrfis os ti'm yn 'i ddefnyddio fo?' dywedodd Richardson.

'Pryd ddaru'r ffors ddechra galw'i hun yn syrfis?' gofynnodd Felix.

'Ffors ydio, sydd yn cynnig gwasanaeth i'r cyhoedd, Felix. Cywir, Ditectif Sarjant?' atebodd y Llyn, gan wenu'n ddireidus ar Felix.

Dywedodd Richardson, gan anwybyddu'r Llyn, 'Be oedd yr, yyy . . .' Plygodd ei ddau fys gyntaf ar ei ddwy law yn yr awyr, i awgrymu dyfynodau, 'y "gangstyrs" yma isho yn union?'

'Pwy a ŵyr, ella mod i'n gofyn gormod o'r cwestiynau cywir o gwmpas y lle?'

'Es i 'nôl heibio'r steshon cyn galw draw, a gweld DC Jones.'

'O, y Kojac Cymraeg,' dywedodd Felix yn sarhaus.

'Wel, mae o wedi taflu'r tâp CCTV.' Roedd wyneb y DS yn gwingo wrth ddweud hyn.

'Ti'n jocian!' dywedodd Felix wrth eistedd yn ôl, yn drwm, yn ei gadair.

'Am fod 'na ddim byd ar y tâp, doedd o ddim yn efidyns cyn belled ag oedd o'n gwbod.'

'A does dim modd ffeindio allan os ydi dy theori New York di'n gywir chwaith, felly nag oes?' dywedodd Felix. Edrychodd Richardson arno am amser hir heb ateb. Ymostyngodd Felix gan ddweud, 'Dwi'n cytuno efo chdi 'na dyna be ddigwyddodd, cofia, ond fysa'n neis ca'l y dystiolaeth yn bysa?'

'Bysa, digon gwir. Ond dwi'm yn gweld bai ar Jones chwaith. Camgymeriad hawdd i'w wneud.'

'Ma'r boi yn jôc,' dywedodd Felix. Y tro hwn wnaeth Richardson ddim amddiffyn ei gydweithiwr.

'Pwy ti'n recynio ddaru yrru'r hefi bois rownd?' gofynnodd Richardson, wnaeth Felix ddim sylwi fod dim mwy i'r cwestiwn na chwilfrydedd naturiol.

'Dy lysdad,' dywedodd Felix.

'Dy lysdad, yn sicr,' adleisiodd y Llyn yn unionsyth.

Gwyrodd Richardson yn ôl yn ei sedd a daeth golwg sur i'w wyneb fel petai'n sydyn wedi arogli rhywbeth brwnt iawn. 'Gerald Foxham? Sut 'dach chi'n ffigro hynna?' Pwyntiodd ei ddau fys uwd at y ddau ac ysgwyd ei ben.

Eto, roedd Felix yn sicr nad oedd yr heddwas yn ffugio'i anwybodaeth a dywedodd, 'Achos bod y darnau'n dechrau disgyn i'w lle. Tisho gwbod 'yn theori ddiweddara?'

'Ffaiyr awê,' atebodd Richardson, ei ben dal i siglo'n ysgafn.

''Dan ni'n amau'n gryf na Bangor, ac efallai ardal llawer ehangach, duda gogledd orllewin Cymru, ydi tiriogaeth Gerald Foxham.' Doedd gan Felix ddim bwriad dweud y cyfan wrth yr heddwas, dim ond digon i'w dynnu allan ryw ychydig o'r niwl trwchus.

'Tiriogaeth ym mha ystyr?'

'Wel dyma lle 'dan ni angen bach o help llaw.'

'Ia?'

'Does dim syniad gynnon ni'n iawn. Rhwbath haili ilîgal dybiwn i,' awgrymodd Felix.

'A be? Ti'n meddwl bod dyn oedd yn arfer rhedeg gardyn sentyr rŵan, yn sydyn reit, yn rhedeg craim empair o'i dŷ bach ar lan y Fenai?' dywedodd Richardson yn goeglyd.

'Fo yrrodd y ddau gawr o Lerpwl,' cynigiodd y Llyn.

'Dyna ddudon nhw? A pwy oedd y ddau gawr 'ma, pam nytho' chi'm ffonio fi o leia?' gofynnodd Richardson.

Crafodd Felix ei farf deuddydd oed gyda'i ewinedd. 'Pam ti mor gyndyn i dderbyn na Foxham sy tu ôl i hyn i gyd, Ian? Fo ydi tad dy frawd, dy frawd ddaru roi Dyl Mawr, ein ffrind, yn yr ysbyty, a Foxham ddaru drefnu dinistrio'r unig dystiolaeth a oedd, *mea culpa*, ar gael.'

'Ti'n iawn, ma be ti'n ddeud yn gneud sens. Wrth gwrs 'i fod o. Ond dwi'n nabod y boi, dyn diflas, bach yn flin. Tipyn bach o lownyr, felly sut mae person felly'n dod i nabod dynion drwg o Lerpwl?' Roedd pen Richardson yn dal i siglo fel pe bai'n dioddef o glefyd Parkinson.

'O be welais i pan es i draw i'w dŷ, roedd o i weld yn ddyn twt, trefnus, llewyrchus a bodlon iawn ei fyd. Ac roedd 'na raen ar y ddau gi 'na sy gynno fo. Cŵn cysur ydi bwystfilod fel 'na, helpu fo i gysgu'r nos.'

''Dan ni'n siŵr bod ni'n siarad am yr un dyn yn fama?' gofynnodd Richardson.

'Ma 'na amser hir ers i chdi nabod o, Ditectif Sarjant. Ma pawb yn newid, a rhai pobol yn diosg eu hen grwyn fel nadroedd,' dywedodd y Llyn. Rhoddodd hyn stop ar y drafodaeth am y tro a chleciodd y Llyn hanner yr oedd yn weddill o'i beint. Cododd gan wyro'i wydr, yn gyntaf i gyfeiriad ei ffrind, ac yna'r DS. Cymerodd y ddau y llymeidiau olaf o'u gwydrau a chasglodd y Llyn y tri yn ei law dde. Tra roedd ei ffrind wrth y bar gofynnodd Felix.

'Oes 'na broblem, Ian? Os oes 'na rwbath ti ddim 'di deud, rŵan ella 'di'r . . ?'

'Dwi jyst wedi drysu, dyna i gyd. Fydd raid i fi fynd i weld Foxham a dod i ddallt petha'n well.'

'Dim yn syniad da,' dywedodd Felix. 'Os 'di o'n meddwl bod y copars yn sniffian o gwmpas y lle mae o'n mynd i llnau pob trywydd.'

'Ond dyna ydi 'mhwynt i, Felix. Llnau trywydd be yn union?'

'Be am hyn? Ma dy frawd bach yn dîlio cyffuria, dyna 'di'r sôn, beth bynnag.'

'Pwy sy'n deud?'

'Dwi'n nabod pobol, Ian. Pobol sy'n gwbod be sy'n digwydd ar y stryd, ocê?'

'Caria mlaen,' ochneidiodd Richardson.

'Jest deud am funud fod dy frawd Kevin yn delio drygs i Foxham. A bod fiw i'r cops ddod i sniffian o gwmpas eu busnes. Felly pan ma Kevin yn colli'i cŵl ac yn rhoi dyn diniwed yn yr ysbyty . . .' Dyma Felix yn gwahodd Richardson i gwblhau ei frawddeg. Ysgydwodd y DS ei ben arno '. . . roedd rhaid i Foxham roi'r ffics ar y tâp a gyrru'r gŵns rownd i ddychryn y nowsi parcyr, sef fi.'

'Ma hynna'n dena iawn, Felix.'

'Dwi'n cyfadda does 'na fawr o gnawd ar yr esgyrn, ond dwi'n sicir fod y syniad yn gallu sefyll ar ei draed, fel petai.'

Stopiodd Richardson yn sydyn, ysgwyd ei ben ac edrych yn y ffordd swyddogol, ddifrifol honno, ar Felix. Roedd ar gychwyn dweud rhywbeth pan ddychwelodd y Llyn â'r lluniaeth i dorri ar ei draws. Roedd yn mwmian rhywbeth a phaced o greision yn ei geg, poerodd nhw ar y bwrdd a dweud eto, 'Dwi'm yn siŵr p'run ydi'r Carlsberg a p'run ydi'r Stella.'

Cymerodd Felix afael ar ei beint o Stella yn hyderus o'i benderfyniad a dywedodd, 'Ian, ddudis di rwbath gynna, a baswn i'n lecio dangos rhwbath i chdi. Llyn, ti'n meindio mynd i nôl llyfr i mi o'r fflat?'

'Dim problem siŵr iawn, pa'r un a lle mae o?'

'*Cymru o'r Awyr*, mae o ar y shilff lyfra yn y gegin o dan lyfra Delia.'

'Dau funud,' dywedodd y Llyn gan gymryd llwnc o'i beint cyn ymadael.

'Be 'di hyn eto?' gofynnodd Richardson.

'Ti'n cofio chdi'n sôn am dŷ bach Foxham ar lan y Fenai?'

'Ia?'

'Ti'n amlwg ddim wedi'i weld o, Ian. Y tŷ art deco neisia ochor yma i Landudno, hefo gerddi reit o'i gwmpas, a wal uchel yn amddiffyn yr hanner sy ddim ar lan yr afon. Siriys propyrti, Ian, gwerth dros filiwn yn hawdd, dybiwn i.'

'Felix, sgin ti deulu? Brodyr? Chwiorydd?'

'Ma 'na bobol sy'n rhannu'r un jenetic mêc-yp â fi. Ond dwi ddim mewn cysylltiad.'

'Ti ddim yn foi teulu, felly.'

'Rho hi fel hyn, Ian, efallai nad wyt ti'n gallu dewis dy deulu, ond ti'n gallu dewis peidio ca'l ffyc ôl i neud â nhw. Dyna sy'n gweithio i fi.'

'Wel, Kevin ydi'r unig deulu sydd gynna i. Dwi bron yn bedwar deg pump, diforsd, dim plant ac yn rhannu tŷ rhent hefo hen gath, llawn cricmala, sy'n piso dros bob dodrefnyn rhad sydd genna i oherwydd 'i diabîtis. Heb y job, heb y ffôrs, fyswn i ddim yn bodoli, Felix. Ti'n dallt?'

'Dim rîli, na' 'dw. Be ti'n trio'i ddeud Ian?'

'Nes i'm dweud y gwir wrtha chdi bore 'ma.' Edrychodd y DS i fyny o'i beint, ei fysedd yn chwarae gyda'r lleithder chwyslyd ar y gwydryn o lager oer.

'O,' dywedodd Felix yn ddigyffro. 'Am be, felly?'

'Digwyddodd rhwbeth ddoe, dwi'm yn gwbod yn iawn lle i ddechra.'

'Jest deud Ian, ty'laen.'

'Mae o'n uffernol o embarasing, Felix.' Edrychodd Richardson unwaith eto ar ei beint.

Disgwyliodd Felix nes oedd y DS yn barod i siarad. Roedd yn awyddus i glywed pa fersiwn o'r anturiaethau a rannwyd gan y ddau, yn ddiarwybod i Richardson, y buasai'r plismon yn eu hadrodd.

'Welis i Kevin ddoe . . .' Cododd ei law i atal Felix rhag siarad, 'a cyn i chdi ddeud dim byd, 'nes i ddim siarad hefo fo.' Rhoddodd ei ddau arddwrn at ei gilydd. 'Roedd o wedi cael ei glymu a'i gagio, gin y ffycin Rîl IRA neu rywun tebyg. Ac am ryw reswm, dwi ddim yn gallu ffigro allan, dyma'r gang 'ma o . . . Padis yn snatsho fi oddi ar y stryd ym Mangor ac yn danfon fi, rwla ganol nunlla ffycin milltiroedd i ffwrdd . . .' Rhoddodd y DS glec i dri chwarter peint o lager. 'A fanna oedd Kevin yn ca'l ei tortshyrio, gwn at 'i ben a popeth, ti'mbo?'

'Ti'n palu hi,' dywedodd Felix gan wenu, fel pe bai newydd glywed jôc.

'Felix, ar fy myw. Ar fedd Mam. Dyma'r bois 'ma, mewn militri gîr a balaclafas yn moc ecsiciwtio Kevin . . . a hwnnw'n piso'i hun.' Ysgydwodd Richardson ei ben. 'Bron i finna biso'n hun hefyd. Wedyn, sydyn reit ro'n i 'nôl yn y fan ffilthi 'ma, ac yn ca'l fy nympio mewn cae ryw dair milltir allan o'r dre. Ffyc nows ble ddigwyddodd hyn, ffyc nows gan bwy a ffycd os dwi'n gwbod pam, Felix. Dyna'r gonast gwir.'

'Ti'n siriys?'

'Siriys,' atebodd Richardson.

'A be 'nes di wedyn?'

'Mynd adra.'

'Mynd adra?'

'Mynd adra. Tywallt scotsh, dybyl. Bwydo'r gath.'

'Ffyc,' dywedodd Felix. 'Nes di ddim riportio hyn i dy ffrindia lawr y steshon?'

'Sut ti'n esbonio ffashwn beth? Lle ma dyn yn dechra?' Roedd ymylon llygaid y DS wedi troi'n goch amrwd, ond ni ddaeth y dagrau. 'Nes i ffonio'r steshon i weld os oedd rhywbeth anghyffredin wedi digwydd, corff wedi'i ddarganfod ella, ti'mbo?'

'Ond, dim Kevin.'

'Na, dim Kevin.' Rhwbiodd Richardson ei lygaid yn frwnt gyda'i fysedd . . . 'Dim byd, ond neges gan ryw landlord o Fangor Ucha.'

'Uffar o gyd-ddigwyddiad, a finna'n dilyn trywydd Kevin.'

'Dyna'n union be o'n i'n feddwl, Felix, nes i mi glywed dy stori. Ar y cyfan, tydi copars ddim yn coelio mewn cyd-ddigwyddiadau.'

'Dwi ddim yn rhyw drystio nhw llawer chwaith,' dywedodd Felix yn haerllug. 'Pam fysa rhyw Wyddelod yn cidnapio plisman ac yn dangos ei frawd afradlon yn cael ei gam-drin idda fo? Beth oedd 'na i'w ennill o neud ffashwn beth?'

'Dwi 'di meddwl am ddim byd arall, ond ma un peth yn saff . . .'

'Be?'

'Tydyn nhw ddim am ladd Kevin, neu fysa ni'n dau wedi'n claddu dan ryw pît bog yn Cownti Galway erbyn hyn.'

'Ddy plot thicyns, fel ma'r Sais yn ddeud,' dywedodd Felix, a dyma fo'n cocio'i ben i'r ochr a dweud dan ei wynt, 'Lle uffar ma'r Llyn hefo'r llyfr 'na? Ti'n meindio aros am funud tra dwi'n ffeindio'r llyfr 'na, Ian? Dwi'm yn gwbod lle ma'r Llyn arni.'

‘Siŵr iawn. Pam ti’n galw dy ffrind yn Llyn?’ gofynnodd Richardson yn ddigon rhesymol.

‘Dyna be ma pawb yn ’i alw fo – y Llyn.’ Cododd Felix ei aeliau’n ddramatig wrth adrodd enw ei ffrind, a chodi o’i sedd. Rhoddodd law gyfeillgar ar ysgwydd Richardson wrth ei basio ac aeth am ddrws ei fflat.

Cenad hwyr drwg ei neges

WEDI IDDO GAU Y DRWS wrth droed grisiau'r fflat ar ei ôl, dyma Felix yn dechrau pendroni am yr hyn roedd Richarson wedi'i adrodd. Safodd yno am funud yn mwytho'i ên ac yn crafu'i ddannedd aur. Pam na chafodd cyffuriau eu crybwyll? Cywilydd cyfaddef bod sail i ddamcaniaeth Felix y ditectif amatur? Efallai. Wedi'r cyfan, cyn belled ag yr roedd y DS yn gwybod, doedd o ond wedi cyfarfod Felix ers y bore hwnnw. Ac wrth gwrs buasai'r heddwas wedi bod yn iawn i ddilyn ei reddf arferol cyn belled ag yr oedd cyd-ddigwyddiadau yn y cwestiwn. Dechreuodd ddringo'r grisiau serth yn bwyllog.

Roedd y drws i'r fflat yn gilagored a gallai Felix weld y Llyn yn sefyll wrth y ffenest flaen yn wynebu'r cyrtans. Agorodd y drws led y pen a dweud, wrth sylwi ar yr un pryd bod dwylo'r Llyn yn byseddu top y cyrtans, 'Am be uffar wyt ti'n chwilio fyny fanna, Llyn?' Dywedodd hyn yn uchel gan obeithio rhoi braw i'w gyfaill.

'Ti'n nabod y boi 'ma, Felix?' Daeth y geiriau sydyn gan lais cyfarwydd i'r chwith i Felix, ym mhen arall yr ystafell. Bron i Felix neidio allan o'i groen. Gafaelodd, yn reddfol, yn y planhigyn *ficus elastica* oedd wrth y drws, fel pe bai yng nghanol daeargryn.

'Jisys Craist!' dywedodd. 'Tecs! Bron i chdi roi hartan i fi.'

Roedd golwg wyllt y diawl ar Tecwyn Keynes. Roedd yn dal i wisgo'r dillad caci o neithiwr, ond ag addurn drewllyd o chwd i lawr blaen ei siaced. Roedd ei wyneb yn wyn fel y galchen, ac roedd y croen o gwmpas ei lygaid yn dywyll a chwyddedig, fel tasa cwsg yn ddim mwy iddynt na chwedl o'r gorffennol pell. Ac er bod ei law chwith yn cynnal ei arddwrn dde, roedd y dryll gyda'i dawelydd, cartŵnaidd o fawr, yn crynu'n weledol yn ei freichiau estynedig.

'Felix?' dywedodd Tecwyn, gan bwyntio'r tawelydd unwaith eto tuag at y Llyn.

'Yndw, yndw. Ffrind i fi, ffrind i fi, Tecs. T. B. Lewis, Tegid Bala. Rho'r ffycin gwn 'na i lawr, ffor ffycs sêcs,' dywedodd Felix â'i ddwylo allan fel petai'n paratoi i ddal pêl.

'Pam oedd o'n stelcian o gwmpas dy le di'n chwilio am rwbath?' gofynnodd Tecwyn yn ddrwgdybus.

'Fi ddaru ofyn iddo fo nôl llyfr i fi, Tecs.'

'Llyfr?'

'Llyfr Tecs. Pam ti 'di torri fewn i'n fflat i ac yn actio fel seico paranoid, mêt?' Ysgydwodd Felix ei ben yn gyflym.

Taflodd Tecwyn y dryll yn yr awyr ac ail afael ynddo gerfydd y tawelydd cyn ei gynnig i Felix. 'Hwda, i chdi ma hwn.'

'Dwi ddim isho dy ffycin 'wn di Tecwyn,' atebodd Felix yn flin.

'O oes, ti angen gwn Felix, hyd yn oed os ti ddim isho un,' dywedodd Tecwyn gan osod y dryll arian ar ben y silff dal recordiau wrth ei ymyl.

'Oes ots gan rywun os dwi'n rhoi fy nwylo i lawr rŵan, ma' mysedd i'n dechrau cosi,' dywedodd y Llyn gan ollwng ei ddwylo a throi rownd heb ddisgwyl am ganiatád.

'Be 'di hyn i gyd amdan?' mynnodd Felix. 'Ti'n edrych yn uffernol.'

''Sgin ti wisgi Felix?' dywedodd Tecwyn.

'Syniad ffycin da,' mwmiodd y Llyn, sbliff yn ei geg, a thaniwr yn cael trafferth ei gynnau gyda'i ddwylo crynedig.

'Helpa dy hun, drôr yn fanna.' Pwyntiodd Felix at ei ddesg waith wrth ochr Tecwyn. Roedd wyneb y ddesg wedi'i gorchuddio â phapurau a llyfrau wedi'u pentyrru yn flêr. Dyma pam y bu'n ceisio dal i fyny gyda'i waith papur ar fwrdd yn y bar y bore hwnw.

Edrychodd Tecwyn ar y ddesg wrth agor y drôr. 'Ma'r ddesg 'ma'n edrych fel fersiwn busnas o wely Tracey Emin, Felix. 'Sgin ti ddim acowntant?' Tynnodd botel chwart o Bells, heb ei hagor, allan o'r drôr gan droi'i chap a thorri'i sêl.

''Sgin ti ddim golchwr dillad?' atebodd Felix.

'Twshê,' dywedodd y Llyn.

Syllodd Tecwyn ar y Llyn. Cymerodd lymaid hir o'r botel cyn ail osod y cap a'i thaflu, ar draws yr ystafell, at y bardd. 'Ma' hwn yn foi reit cŵl Felix. Nath o' ddim poeni fo am eiliad ca'l gwn yn ei gefn gan ddyn diarth.'

'Pan ti 'di cael hogyn deg oed yn chwifio kalashnikov – y baryl dal yn smocio – yn dy wyneb yn Sierra Leone, digon agos i chdi allu teimlo gwres y metal ac ma'i llygada fo fel soseri oherwydd y cocên, dyna pryd ti'n dechra chwysu,' dywedodd y Llyn.

'Ecs armi?'

'Newyddiadurwr.'

'O. O'n i'n meddwl bod yr enw'n canu cloch. Sa'm un ohonan ni'n berffaith,' dywedodd Tecwyn, gan roi ei law allan am ddychweliad y botel Bells.

'Ti am ateb 'y nghwestiwn i, Tecs? Ma DS Richardson yn disgwl amdana i lawr grisia,' dywedodd Felix wrth eistedd ar fraich gul y soffa.

'Welis i o'n cyrraedd. Be 'di'r jèn?' gofynnodd Tecwyn, a rhyw lygedyn o amheuaeth yn ei lais.

''Di o'n gwbod dim byd amdanan ni. A 'di o'm 'di mynd at ei bydis in blŵ.'

'A ti'n gwbod hyn, sut?' gofynnodd Tecwyn gan wgu.

'Wrth brynu peint idda fo,' dywedodd Felix yn ddiamynedd cyn ychwanegu, 'Ty'laen Tecs, be ti'n neud yn fama? Pam ti'n edrych fel trempyn methu dal 'i feths? A be 'di'r gwn busnas 'ma? E?'

Dechreuodd llygad dde Tecwyn dwitsio o'i hanfodd, a cheisiodd roi gwên cyn i ryw emosiwn ei throi'n sur ar ei wyneb. Rhoddodd un goes allan o'i flaen a gwyro i eistedd ar fag mawr, o ddefnydd canfas du, ar lawr. 'Ti'n gweld hwn, Felix?' dywedodd gan daro'r bag rhwng ei goesau'n ysgafn. 'Be ti'n feddwl sydd yn hwn?'

'Dillad glân, gobeithio,' dywedodd y Llyn.

Ysgydwodd Felix ei ben gan anwybyddu'r Llyn. 'Jysd dan wyth mil o bunnoedd. Hanner kilo o top grêd heroin a dau wn, efo digon o *ammo* i ddechra rhyfel bach,' dywedodd y cyn-filwr, y wên yn trio'i orau i ymladd allan o'i iselder amlwg.

'Neis,' dywedodd Felix.

'Deunydd parti go lew yn fanna,' dywedodd y Llyn.

'Llyn,' dywedodd Felix. 'Dos â'r llyfr 'na lawr at y DS, nei di? Cadw fo'n brysur am funud, deud bod fi'n y bog neu rwbath. Ocê?'

'Ti'n siŵr?' gofynnodd y Llyn gan grafu'i foch.

Nodiodd Felix heb edrych arno, gan gadw'i lygaid ar Tecwyn Keynes yn datgymalu'n emosiynol o flaen ei lygaid. 'Doedd *Cymru o'r Awyr* ddim o dan Delia.'

'Mae o yn y peil, wrth y pot plant 'na. Welis i o rŵan jyst,' dywedodd Felix.

Cerddodd y Llyn rhwng y ddau bartner troseddol, a churodd foch Felix deirgwaith yn sydyn a chyfeillgar wrth basio. Cydiodd yn y llyfr a stwmpio'i sbliff ym mhridd sych y planhigyn rwber cyn gadael, yn chwifio'r awyr o flaen ei wyneb gyda'i law, a chau'r drws.

'Tecs?' dywedodd Felix.

'Dwi ddim yn dallt, Felix. Sut ffwc a'th petha mor uffernol o . . .' Cydiodd Tecwyn yn dynn yn ei wallt byr, nes bod cymalau'i fysedd yn gwynnu.

'Be 'di'r sgôr efo'r gynnau? Y pres? Ti'n edrych yn ffycd yp, Tecs.'

Edrychodd Tecwyn, drwy niwl y pyllau yn ei lygaid, ar Felix a rhwbiodd ddagrau dychmygol oddi ar ei foch. 'Dwi jyst abawt digon o gwmpas 'y mhetha i wbod bod rhaid i fi ddiflannu.' Estynnodd Tecwyn ffôn symudol o boced frest ei siaced. 'Ond cyn i fi fynd,' pwysodd ddau fotwm ar y ffôn, 'rhaid i fi neud un ffôn côl.' Rhoddodd y ffôn i'w glust. Dyma ffôn Bakelite Felix yn canu – cân o ganol y ganrif gynt. *Drrrrinnng-drrrinnng* . . .
'Atab o nei di Felix, i chdi mae o.'

'Be ti'n neud Tecs?' *Drrrinnng* . . .

'Helpu chdi i ddeud stori sy'n dal dŵr. Atab o.'

Cododd Felix y derbynnydd a'i osod wrth y ffôn. Rhoddodd Tecwyn ei ffôn symudol i lawr wrth ei ymyl ar y bag canfas.

'Dyna fo, pan fydd y cops yn tshecio dy stori, fydd 'na treil of efidyns. Ma nhw'n lecio hynna, copars, tydan Felix?'

'Pam a pryd ma'r glas yn gneud 'pîrans?' gofynnodd Felix gan guchio.

'Felix. Pan dwi 'di gada'l, dos i lawr i'r bar a deud wrth y Ditectif Richardson 'na fod fi newydd ffonio, yn swnio'n uffernol o ypsét.'

'Ond 'di o'm yn gwbod bod ni'n nabod y'n gilydd.'

'Deud wrtha fo na fi ddaru roi chdi ar drywydd ei frawd o fis-á-fi stîd dy ffrind. Ti'n hapus hefo hynna?'

'Ma hynna'n gweithio, ia?'

'Deud wrth Richardson fod fi'n histerical ac yn gweiddi drosodd a drosodd na dim fi nath – dim fi nath, ocê?'

'Ffycin 'el Tecs, be uffar sy'n mynd mlaen?'

'Jyst hynna dwi'n deud, Felix. Dim fi nath, a'r cyfeiriad. Sefnti-tw, Ysgubor Wen.'

'Tŷ dy dad,' dywedodd Felix.

'Ia, ond ti'm yn gwbod hynna ar y pwynt yma, Felix. Dallt?'

Aeth yr ystafell yn ddistaw, a dyma Felix yn sylwi, am y tro cynta'r noson honno, ar y sŵn yn codi o'r bar oddi tanodd.

'Ti isho fi fynd â Richardson i dŷ dy dad?'

'Rŵan Felix, a bysedda petha fel ti'n mynd rownd, lot o betha, ocê?'

Gafaelodd Tecwyn yn y ffôn symudol, ei ddiffodd a'i roi yn ei boced cyn codi a chynnig ei law i Felix. Dyma'r ddau yn ysgwyd dwylo'n gadarn, fel bod arwyddocâd anghyffredin i'r weithred. Cododd Tecwyn y bag trwm a'i gario fel sach o lo ar ei ysgwydd.

'Ffycin 'el, Tecs. Be dwi'n mynd i ffeindio?'

'Yr unig beth dwi'n gallu meddwl amdano i gael chdi allan o'r mes 'ma, Felix. Gobeithio bod chdi ddim yn meindio os dwi ddim yn gyrru postcard i chdi, lle dwi'n mynd.'

'Dwi'm yn meddwl bod 'na ffasiwn beth â gwasanaeth post, lle 'dan ni'n dau'n mynd Tecwyn Keynes.'

'Diolch, Felix.'

'Am be?'

'Fyddi di'n gwbod . . . cyn bo hir. Wela i di eto ryw dro, ella.'

Aeth Tecwyn i lawr y coridor am y gegin gefn, a safodd Felix yn yr ystafell fyw yn gwrando arno'n gwasgu'i hun allan o'r ffenest ac yna'n dringo i lawr ysgol y ddihangfa dân. Rhoddodd y derbynnydd yn ôl ar ei grud. Cododd y dryll, Beretta Tomcat, a dad-sgriwio'r tawelydd. Heb ei gyfaill tawel roedd y gwn yn gymharol fach. Lapiodd y ddau ddarn mewn lliain llestri a'u rhoi mewn cwdyn rhwyd o M&S cyn eu cuddio o dan y gwlân insiwleiddio yn atig fechan y fflat. Gwisgodd siaced ledr a chymryd llymaid allan o'r botel chwisgi cyn ei dychwelyd i'w chartref yn nrôr ei ddesg. Aeth allan o'r fflat ac eistedd ar ris ucha'r grisiau i roi trefn ar ei feddyliau. Edrychodd ar y llun o Miles Davis oedd ar y wal o'i flaen. Y trwmpedwr gyda'i fys i fyny at ei wefus fel pe bai'n gofyn am dawelwch, neu i annog cadw cynllwyn yn gyfrinach. Roedd Felix yn ymwybodol mai cuddio cylch-graith ei wefus gyda'i fys oedd yr athrylith – dim mwy, dim llai – ond roedd yn hoff o agwedd ddirgel y delwedd. Faint i'w ddatgelu wrth Ian Richardson? Dyna oedd yn poeni Felix. Dweud gormod ac efallai y buasai'r DS yn mynnu galw am fwy o blismyn cyn mentro i dŷ Keynes. Dim dweud digon, ac efallai na fuasai'r dyn am ddod gyda Felix o gwbl.

Stwffio fo, meddyliodd Felix. Cododd a rhuthro i lawr y grisiau nes bod y gwagle'n atseinio'i gamau ar y pren fel drymiwr mewn band roc. Agorodd y drws i far llawer prysurach nag arfer. Roedd y Llyn yn edrych arno, ac yn gwyro'i ên i fyny gan adael i Richardson wybod am ei ymddangosiad.

'Sgiws mi, sori, sori,' dywedodd Felix gan symud cwsmeriaid wrth naddu'i ffordd at y bwrdd. 'Ian, Ian?'

'Felix, lle ti 'di bod?'

'Ti'n ffansi trip i Sgubor Wen efo fi?'

'Dim rîli, na'dw. Be sy'n bod?' dywedodd Richardson, peint llawn o'i flaen a gwydryn bron yn wag yn ei law. Ar y bwrdd roedd y llyfr *Cymru O'r Awyr* yn agored ar dudalen y Menai Lodge.

''Na i ddreifio, ty'd, gei di'r hanes ar y ffordd.' Cododd siaced y DS oddi ar gefn ei gadair a'i chynnig iddo.

'Ti o ddifri?' Edrychodd yn ddryslyd ar Felix. ''Sgyna i 'im llawer o ddewis felly, nag oes.'

'Ti isho fi ddod?' gofynnodd y Llyn.

'Na, ma'r polis protecshyn yn ddigon dwi'n meddwl.'

Roedd y DS yn stryffaglu i rhoi trefn i'w freichiau yn llewys ei siaced.

'Ffor' 'ma. Trw' cefn,' dywedodd Felix gan arwain y ffordd drwy'r dafarn brysur am y storfa gefn. Roedd cael digwyddiadau treisgar ar y stepan drws yn dda i'r busnas, meddyliodd, gan wenu a chyfarch wynebau cyfarwydd a newydd bob yn ail. Agorodd clo drws y storfa gefn a dal y drws yn agored i'r plismon. Aeth y ddau i fewn, caeodd Felix y drws a daeth tawelwch sydyn.

'Be sy 'di digwydd, Felix? Pam da ni'n mynd i'r Sgubs?'

Eisteddodd Felix ar un o'r bareli arian gwag. 'Dwi

newydd ga'l galwad ffôn od. Boi o'r Sgubor. Tecwyn Keynes? Nabod yr enw?'

'Na,' dechreuodd Richardson. 'Hold on. Keynes, Keynes. Ma'r enw yna'n canu cloch. Big in ddy eitîs. Jobsys mawr, os dwi'n cofio, meijyr craim.'

'Ella, dwi'm yn gwbod,' dywedodd Felix yn ddifyfyr. 'Dim hwn, ma Tecwyn yn rhy ifanc i fod wrthi radeg hynny. Perthynas, ella. Ty'd, gawn ni siarad wrth fynd.'

Aeth y ddau allan o'r storfa ac i fewn i'r VW oedd wedi'i wasgu i fewn i'r heol gul wrth ochr y Penrhyn. Roedd y ddihangfa dân yn uniongyrchol uwchben y cerbyd, a gwelodd Felix ôl gwlithog esgid Tecwyn Keynes ar ei do a'i fonet.

'Eniwe,' dywedodd Richardson, wrth i Felix yrru heibio i hen adeilad y Brifysgol.

'Beth bynnag,' dechreuodd Felix. 'Ma'r boi 'ma, Tecwyn, yn ffonio rŵan jyst, yn eitha ypset. "Dim fi nath, dim fi nath", ac yn erfyn arna fi i fynd draw i sefnti-tŵ, Sgubor. Be ti'n reconio, Ian?'

'A ti'n nabod y Tecwyn 'ma sut?'

'Dyna'r peth, fo ddaru roi fi ar drywydd dy frawd yn y lle cynta. Unwaith dwi 'di cyfarfod y boi.'

'Diddorol.'

'Diddorol, ti'n ddeud. Pam ti'n meddwl bod o 'di ffonio fi?'

''Dan ni'n mynd i ffeindio allan mewn ryw bum munud, Felix,' dywedodd Richardson, yn annisgwyl o wamal, gan achosi i Felix i dynnu'i lygaid oddi ar y lôn am eiliad i weld a oedd y DS wedi meddwi. Dyma'r VW yn taro'r pafin gyda gwich. Yn reddfol trodd Felix yr olwyn i'r dde ac yna sythu'r car.

'Wyw, gwatsia lle ti'n mynd, ddyn,' gwaeddodd Richardson gan afael yn y dasbord.

'Sori, offisyr,' dywedodd Felix.

Tri chyfraid pob gwaith: modd; medryd; a myn

Cyrhaedodd y VW yr unig fynediad i'r ystad, a dyma Felix yn troi i fewn. O'r awyr roedd Ysgubor Wen yn ymdebygu i fynwent filwrol, gyda phatrwm pendant o dai, fel cerrig beddi, mewn rhesi cymesur yn troi'n raddol ar ffurf bwa i ffwrdd o'r brif heol ganol. Fel y mynwentydd milwrol, roedd estheteg hyfryd i'r cynllun a allai ddallu dyn i wirionedd y darn o dir. Nid oedd llawer o hyfrydwch yn ystad Ysgubor Wen dim mwy nac yn y mynwentydd anferth hynny. Codwyd y mwyafrif o'r tai yn nhridegau'r ganrif cynt. Gan bod y mynydd bol cwrw yn gwahanu'r gymdeithas o weddill dinas Bangor mae'r ystad a'i phobol wedi cael eu cyfri erioed fel tref a thrigolion ar wahân. Amlygai hyn ei hun yn yr ymddygiad nhw-a-ni a fabwysiadwyd gan y cymdogion, yn fwy felly ymysg yr ifanc. Roedd y stigma o fagwraeth yn Ysgubor Wen yn gallu llywio cwrs bywydau hyd yn oed y mwyaf talentog o'i phlant. Roedd hyn, yn rhesymol, yn creu chwerwrder a siniciaeth ymysg trigolion yr ystad. Er yr ymdrechion diweddar gan rai o'i thrigolion a'r Cyngor i wella delwedd a chyfleusterau'r faestref, roedd hynny fel ymladd i gadw trefn ar ymbarél mewn storm.

Gwyrai Felix yn ara deg ar hyd y brif stryd, gan edrych ar y tai bob ochr, fel pe na bai ganddo syniad ble i fynd. Roedd y VW yn canu grwndi, ei beiriant yn ysu am betrol.

'Saith deg dau, ffor'cw,' dywedodd Richardson gan gyfeirio i'r chwith, cyn ategu, 'Dîpyst, darcyst.'

Roedd Felix yn ôl ar y stryd ryfeddol honno, gyda thŷ anghydweddol y Keynes yn ynys sinistr o daclusrwydd ymysg anialwch disgwyliedig o flêr ei gymdogion. Stopiodd Felix o dan un o'r goleuadau stryd oedd yn gweithio'n iawn, hanner can metr o dŷ Keynes. Roedd dwsin neu fwy o blant o wahanol oedrannau, rhai gyda beiciau, wedi ymgynnull ar y pafin wrth ardd rhif 72. Roedd yr hogiau'n chwarae'n fywiog a thra ffyrnig, yn dangos eu hunain i'r tair merch oedd yn eu gwylio gan bwyso yn erbyn ffens yr ardd. Roedd y golau stryd tu ôl iddynt yn fflachio fel storm ddi-ben-draw o fellt.

'Ma plant wastad yn ffeindio'r trwbwl gynta,' dywedodd Richardson.

Edrychodd Felix arno. Mae o'n hollol sobor rŵan, beth bynnag, meddyliodd. 'Tisho fi fynd i ga'l lwc, gweld be 'di be?' gofynnodd.

'Na, hefo'n gilydd,' atebodd Richardson gan ryddhau ei hun o'i wregys, a thynnu ar handlan y drws. 'Anwybydda'r cids, Felix; dos di yn dy flaen, gad nhw i fi.'

'Reit, pob lwc efo hynna.' Agorodd yntau ei ddrws a chychwynnodd y ddau am rif 72 Ysgubor Wen.

'Iow, iow, iow. Plod, Plod,' dywedodd hogyn tua deg

oed wrth bwyso ar feic oedd yn llawer rhy fach iddo, wrth ymyl y pafin. Gwenodd Felix arno wrth ei basio ac agor y giât wichlyd i ardd saith deg dau. 'I wouldn't fuck with Keynes if I were you, Plod,' dywedodd yr hogyn eto wedyn i'w gefn, i gyfeiliant chwerthin mawr rhwng y criw ifanc.

'Wai ar iw standin arawnd hêr, lads? Dders a pyrffictli nais offlaisyns to hang arawnd awtsaid dawn ddy rôd.'

Gwenodd Felix yn lletach fyth wrth glywed Richardson wrthi, a chellwair eofn y plant fel brain yn ei ateb. Nid oedd golau i'w weld yn y tŷ, ac wrth iddo agosáu dyma Felix yn sylwi bod y drws haearn anferth yn gil agored. Tynnodd y ddôr ato ac fe agorodd yn ddistaw, y gadwyn fawr yn un neidr fodlon ar lawr y coridor. Cododd blew bach ar war Felix a gwasgodd ei ddannedd aur yn dynn at ei gilydd. Tynnodd anadl drwy'i drwyn wrth graffu i fewn i wyll cartref Keynes. Gwelodd siapiau'r drysau mewnol wrth i'w lygaid ddechrau dygymod â'r düwch. Clywodd fewian cyfarwydd y cathod yn ddwfn yng nghrombil y tŷ, rhywle yn y llofftydd, efallai. Roedd Felix am alw allan ond, am ryw reswm, ni ddeuai'r sŵn i'w wefus. Edrychodd dros ei ysgwydd a gweld bod Richardson yn hel yr haid ifanc am adref, a'u bysedd hwythau'n ffarwelio â'r plismon fesul un neu ddau, i gyfeiliant synau epa mawr y jyngl. Arhosodd y merched, a oedd yn eu harddegau canol, wrth y ffens yn syllu'n llywath ar Richardson. Chwifiodd y DS ei ddwylo atynt fel petai'n ysgwyd tywod allan o dywel, a dechreuodd y tair lusgo i ffwrdd fel *zombies*. Roedd pob synnwyr a feddai yn galw ar Felix i aros am Richardson cyn mentro i'r tywyllwch, ond gwyddai y byddai'n rhaid iddo weld popeth a oedd i'w weld gyntaf. Peryg y buasai'r heddwas yn ei yrru allan pe deuai prawf o ddrwgweithredu. Aeth i fewn a chau'r drws, gyda chlic gadarn, ar ei ôl.

Ceisiodd chwilio am swits ar wal y coridor yn y tywyllwch. Cymerodd gamau bychain yn ei flaen cyn, cyrraedd ei darged o'r diwedd. Gwasgodd y swits, ond ni ddaeth goleuni. Profodd y swits, dwywaith, dair, yn hurt ac yn ofer. Teimlodd chwys yn oeri'i dalcen, a daeth yr hen deimlad bustlaidd i'w stumog wrth i arogl y cannydd a'r cathod lenwi'i ffroenau. Teimlodd ffrâm drws, a drws wedi'i gau, ar hyd yr un wal chwith. Roedd Felix yn cofio bod ystafell Keynes ychydig ymlaen ar y dde, a'r gegin yn syth ymlaen ac i'r chwith o'r grisiau. Penderfynodd fynd am y gegin. Wrth iddo basio'r drws ar y chwith tarodd ei benglin yn boenus a swnllyd yn erbyn dreser. Disgynnodd rhai pethau oddi ar y dreser gan dincian ar y carped – ornaments, meddyliodd Felix, gan geisio arbed rhai rhag disgyn. Cafodd ei hun yn cydio mewn lamp, ac ochrau igam-ogam y gorchudd crwn i'w hadnabod yn syth. Chwiliodd, heb fawr o obaith am y swits nôl-a-mlaen a dod o hyd iddo, gwasgodd sawl gwaith. Dim goleuni. Dilynodd y fflecs i lawr i'r plwg, a tharo ar y swits hwnnw. Dal ddim byd.

Daeth sŵn cnocio ysgafn o gyfeiriad y ddôr. Richardson.

Gwasgodd Felix y swits ar y lamp unwaith eto,

jyst rhag ofn. O'r diwedd daeth golau i lenwi'r gofod, golau gwan y lamp fechan. Daeth cysgodion sinistr fel rhan o'r fargen, ond roedd hyn yn bris bychan i'w dalu, meddyliodd Felix. Roedd yr aer yn llonydd, a'r distawrwydd yn hymian yng nghlustiau Felix.

Cnoc-cnoc.

Aeth Felix yn ei flaen heibio'r grisiau i gyfeiriad drws caeedig y gegin gefn, drws ar reilen yn agor o'r dde i'r chwith. Rhoddodd ei law chwith yn y twll i dynnu'r drws yn agored, a'i law dde allan o'i flaen fel pe bai'n gallu rhagweld ymosodiad. Roedd ei galon yn curo fel morthwyl gof ar rwber. Agorodd y drws yn ara, ara, a'r twrw fel trên yn ei glustiau. Â'r drws yn gilagored gwelodd bod golau llachar yn y gegin.

'Felix.'

Neidiodd ac edrych yn ôl wrth glywed ei enw yn cael ei alw a'i ddistewi gan y drws haearn. Richardson. Agorodd gweddill y drws gydag un symudiad sydyn.

Ffycin hel!

Aeth ei law dde at ei geg yn reddfol wrth iddo edrych ar y corff a'r gwaed ar lawr. Caeodd eu ffroenau wrth i oglau'r chwd ar lawr wrth y pwll gwaed ddechrau amlygu'i hun. Roedd y corff ar ongl erchyll o annaturiol. Nid allai Felix weld yr wyneb, ond roedd wedi tybio'n syth mai Carwyn Keynes oedd o'i flaen, ei ymennydd yn ddarnau mân ar hyd y cypyrddau a'r popty. Roedd yn hanner penlinio yng nghanol y llawr linoliwm, ei freichiau wedi'u taflu'n ôl mewn ystum dramatig. Pe buasai'n fyw, tybiai Felix y byddai cadw corff yn y fath siâp yn amhosib. Roedd strapen ynghlwm wrth ei law dde a arweiniai at wn ar lawr y gegin, a siâp du y Springfield Armory TRP Operator bron ar goll yn y pwll gwaed. Roedd ei fygwr sŵn yn dyblu maint y dryll i ryw ddeunaw modfedd.

Be ydio hefo'r hogia 'ma a sailynsyrs, meddyliodd Felix.

Roedd ôl traed, â sglefrio ynddo, yn y gwaed ar lawr. Dyma ôl Tecwyn yn darganfod corff ei frawd, tybiodd Felix, a dyma weddill y chwd oedd ar ei siaced. Cerddodd Felix o gwmpas y pwll gwaed a choesau'r corff. Gwelodd wep Carwyn a'i lygaid llawn gwacter meddylgar yn syllu arno. Edrychai fel pe bai'n gweryru fel ceffyl a'i ddannedd melyn yn amlwg.

Carwyn, Carwyn. Cradur, meddyliodd Felix. Lle ma' dy dad?

Cnoc, cnoc-cnoc-cnoc. Y drws cefn. 'Felix, Felix.' Richardson eto. Aeth Felix at y drws cefn a siarad trwy'r pren.

'Mes go iawn, Ian. Corff, gwn, gwaed yn bob man.'

'Ffyc off.' Richardson yn hanner chwerthin, ond hefyd ychydig yn flin.

'Fedra i ddim agor y drws cefn 'ma – padloc a bob math o gach,' dywedodd Felix wrth edrych ar y bolltau a'r un, dau, tri chlo gwahanol. 'Dos rownd i'r ffrynt.'

'Ti'n tynnu nghoes i, Felix?'

'Dos rownd.'

Aeth Felix yn ôl o gwmpas Carwyn ac allan i'r

coridor. Gan sylweddoli nad oedd bylb yn y golau uwch ei ben aeth heibio'r grisiau, a dwy gath arni'n anwybyddu popeth. Agorodd ddrws ystafell Christopher Rutherford Keynes. Eto, tywyllwch. Teimlodd Felix ar hyd y wal i'r dde o'r drws, heb fynd i fewn i'r ystafell, nes dod o hyd i'r swits. Daeth y golau ymlaen.

'Helo,' dywedodd Felix, yn fwy mewn ofn nag mewn gobaith o gael ateb. Roedd yn teimlo yn fwy hyderus wrth glywed ei lais yn tarfu ar y llonyddwch. Cerddodd ymlaen.

Roedd popeth fel ag yr oedd o'r blaen, ar wahân i'r silff waelod yng nghornel bella'r ystafell. Roedd hon wedi cael ei chlirio'n fyrbwyll o'i theganau i ddatgelu cist fechan, agored a gwag o'i flaen. Dyma lle cafodd Tecs 'i swag, meddyliodd Felix. Trodd ei sylw at wely Keynes, gan rag-weld beth welai yno. Ni chafodd ei siomi.

Ar y gwely, fel morfil â'r llanw allan, gorweddai tewdra digyffro corff marw Keynes. Roedd gobennydd gwyn dros ei wyneb ac ynddo dwll a staen du o'i gwmpas. Roedd ei ddwylo chwyddedig yn hofran rhyw droedfedd uwchben y blanced, ei fysedd yn estynedig. Nid oedd diferyn o waed yn unman. Cydiodd Felix mewn ambell beth a'u osod ar lawr yr ystafell, a gadawodd ôl ei fysedd hefyd ar y silff, fel petai wedi dal ei hun rhag disgyn. Gadawodd Keynes heb unrhyw ymyrraeth ac aeth i agor y ddôr i Richardson.

'Lle ti 'di bod?' dywedodd y DS yn flin.

'Dwi'm 'di bod i fyny grisia ond ma 'na ddau gorff i lawr.'

Gwthiodd Richardson heibio iddo. Eisteddodd Felix ar y stepan drws i rwystro'r drws rhag cau. Roedd o'n ysu am sigarét, ei feddwl yn carlamu drwy'r posibiliadau. Dylyfodd ei ên o'i anfodd. Stres, meddyliodd a chwerthin yn sydyn. Keynes wedi'i saethu, neu wedi'i dagu ac yna'i saethu. Carwyn wedi saethu'i hun, neu wedi cael ei osod i edrych fel pe bai wedi saethu'i hun. Carwyn wedi lladd ei dad cyn lladd ei hun, neu wedi cael ei fframio am y weithred, o leiaf. Tecwyn yn digwydd peidio bod gartref ar y pryd, ond yn dychwelyd i ddarganfod y cyfan, neu'r gyflafan hyd yn oed. Ti'n gwbod dim mwy na finna, nag w't Tecwyn bach, meddyliodd Felix, ond chdi ddaru llnau'r seff 'na allan, dybiwn i.

Wrth ei gefn, clywodd Richardson yn esgyn y grisiau'n frysiog, a'r cathod yn mewian eu protestiadau wrth gael eu disodli. Drysau'n gwichian, ac o leiaf un ohonynt yn cael blaen troed sydyn gan y DS. Yna rhythm slofach, dim brys, y plismon yn dychwelyd i'r llawr isaf. Edrychodd Felix dros ei ysgwydd a'i weld yn codi ffôn heb weiran oddi ar y dreser. Pwysodd fotwm a rhoi'r teclyn wrth ei glust. Daeth i eistedd wrth ochr Felix ar y stepan drws lydan.

'Sut ti'n cael lein allan ar hwn, dwa'?' gofynnodd Richardson.

'Dwi'n meddwl bod chdi'n rhoi'r rhif i fewn gynta ac wedyn yn pwyso'r botwm ffôn 'na. Nain, nain, nain, dwi'n cymyd.'

'Nain, ffycin, nain, ffycin nain, Felix. Dwi'm 'di gweld més fel'ma ers dyddia'r nytar projecsionist Moore 'na.'

'Oedd 'na fwy fyny grisia?'

'Na, ond ma'r CID yn mynd i ga'l hwyl yn mynd trwy'r cannoedd o focsys sy 'na.'

'Dim Tecwyn Keynes ydi'r boi yn y gegin,' dywedodd Felix.

'O?'

'Na'r llall ar y gwely, os nag ydi o 'di bod yn byw yn McDonalds ers i fi weld o.'

'Dwi'm 'di gweld neb cweit mor fawr â hynna . . .' Pwniodd y rhif i fewn a chodi'r ffôn at ei glust unwaith eto. 'Polîs. DS Richardson, Bangor. Ai'm at sefnti-tw Ysgubor Wen. Ricwest SOCO and siriys insidynt offisyrs, tŵ fictims posibyl homisaid, swisaid. Ies, sefnti-tw, Ysgubor Wen. Thanc iw.' Ochneidiodd Richardson wrth syllu ar y ffôn yn ei ddwylo. 'Be sy'n mynd mlaen yn fama, Felix?'

'Petha drwg, Ditectif Sarjant. Petha drwg iawn.'

'Ydi bob dim yn y tŷ 'ma? Oes 'na chwanag i ddod?'

'Ma 'na wastad betha drwg yn digwydd, Ian, yn rhwla.'

'Ti a fi yn hyn i gyd, rhywsut. Ti yn deall hynna, dwyt?'

Ysgydwodd Felix ei ben ar Richardson. 'Dwi'm yn deallt ffyc ôl, Ditectif, dim oll.'

Treuliodd Oswyn Felix weddill y noson yng nghwmni

Heddlu Gogledd Cymru. Rhoddodd ddatganiad iddynt y tu allan i'r tŷ, yna cafodd ei gyfweld i lawr yn yr orsaf ym Mangor. Ni welodd Richardson eto y noson honno, wedi i'r timau arbennig a'r heddweision niferus gyrraedd y tŷ. Cafodd ei hebrwng yn ôl i'r tŷ yn Ysgubor Wen yn oriau mân y bore, a chael ei gar yn ôl. Roedd pabell wen yn gorchuddio drws saith deg dau, a goleuadau llachar a phwerus oddi fewn a thu allan i'r eiddo. Safai dau heddwas yn fud wrth y babell yn edrych yn ddiflas, a bodiau'r ddau yn ei gwregysau trwchus. Wedi dychwelyd i'r Penrhyn gwelodd Felix fod yr heddlu wedi bod yn ei fflat, gan adael powdr gwyn ar bob arwyneb a swits. Roedd wedi gorfod rhoi caniatâd iddynt gael mynediad i'w fflat ac roedd wedi ei roi heb oedi, er mwyn atal unrhyw amheuaeth bellach. Roedd yn amlwg wedi bod yn mentro'i lwc wrth gadw Richardson allan o dŷ Keynes am gyhyd, ac roedd y ddau Dditectif a'i holodd yn hynod ddrwgdybus ac yn fwy nag ychydig yn flin. Er na allai fod yn sicr nad oedd Tecwyn wedi cyffwrdd mewn unrhyw beth nad oedd Felix wedi'i lanhau, fel y ffenest gefn, roedd hyn yn well na gwrthod mynediad heb warant chwilio a chael ei holi'n dwll am ddyddiau. Roedd hefyd yn ffodus nad oeddynt yn chwilio am bethau cudd, megis gynnau anghyfreithlon mewn nenlofftydd. Diolchodd Felix ei fod wedi gwagio'r blwch llwch, llawn stympiau sbliffs, y bore hwnnw hefyd.

Roedd y ddau Dditectif yn cymryd diddordeb arbennig yn y berthynas rhwng Oswyn Felix a'r Ditectif

Sarjant Ian Richardson. Pam eu bod wedi mynd i dŷ Keynes y noson honno? Sut oeddynt yn adnabod ei gilydd? Beth oedd y berthynas rhwng Felix a brawd y DS? Beth oedd ei berthynas â Tecwyn Keynes? Pam ei fod o, Tecwyn, wedi ffonio Felix o bawb y noson honno?

Teimlodd Felix fod ei atebion – cyfuniad lobsgows o'r gwir a'r gau – yn ddigon anghredadwy nes darbwyllo'r heddlu rywsut ei fod yn dweud y gwir. Ni soniodd am ymweliad y brodyr Brice i'r Penrhyn, ac roedd yn gobeithio y buasai Richardson hefyd yn 'anghofio' ei fod wedi'i grybwyll. Agorodd ddrôr ei ddesg ac estyn y botel wisgi. Eisteddodd yn ei gadair jazz yn syllu ar y llawr lle'r oedd Tecwyn wedi eistedd, ar ei fag llawn newyddion drwg, oriau ynghynt ac oes yn ôl.

Diolch Felix. Am be? Fyddi di'n gwybod cyn bo hir.

Am be?

. . . cyn bo hir.

Beth oedd Tecwyn Keynes yn ei feddwl? *Fyddi di'n gwybod cyn bo hir.*

Roedd y cradur yn gwbod be o'n i'n mynd i ffeindio yn sefnti-tw, meddyliodd. Ac yn gwbod byswn i'n sylweddoli mai Foxham oedd wrth gefn y gyflafan. Foxham, â'i gachgi o fab, yn gweld drwy'r balaclafas a'r caci. Gyrru'r brodyr Brice i ddysgu gwers i fi, gyrru rhywun siriys i ga'l gwared â'r gystadleuaeth. Ond doedd Tecwyn ddim adra. Blêr.

Diolch, Felix.

Am be? Am be? Am be?

A gadwer, a geir wrth raid

SAFODD FELIX ar ben cadair a mynd heb feddwl gormod i nôl y gwn, fel pe bai'n ysbïwr o'r rhyfel oer yn cael ei ddeffro o drwmgwsg mwyaf sydyn. Dyma dynnu'r mygwr ac yna'r Beretta allan o'r cwdyn a sgriwio'r ddau yn un. Eisteddodd yn ôl yn ei gadair. Teimlodd gyhyr afreolus yn plycio'n flinderus wrth ymyl isaf ei lygad chwith. Arwydd sicr ei bod hi heibio amser gwely Felix. Ers rhyw ffycin dau ddiwrnod, meddyliodd. Rhoddodd yr arf i orwedd yn drwm ar draws ei lin a chaeodd ei lygaid.

Dychmygodd y dyn yn cyrraedd ac yn agor clo allanol dôr rhif 72 mewn eiliadau. Gan mai Keynes yn unig oedd gartref, ni fuasai'r gadwyn a'r cloeon ychwanegol wrth waith. Cymerodd gadach yn ei law a llacio bylb golau'r coridor a'i roi yn ei boced. Clywodd Keynes yn galw *Pwy sy 'na? Hŵs ddêr?* Aeth y dyn i'w ystafell a buasai Keynes, o'i wely, yn sylweddoli ei ffawd yn syth. Efallai iddo gynnig pres i'r dyn – mynydd o bres, cyffuriau, unrhyw beth. Dyma'r dyn yn gosod y mygwr twrw ar y dryll Springfield Armory ac yn anwybyddu'r pledio. Llaw mewn maneg yn cythru gobennydd a'i osod ar wyneb chwyddedig pennaeth troseddwyr y fro. Dyma Keynes wedyn yn codi'i ddwylo'n erfyniol am y tro olaf. A sŵn, dim uwch na dau ddart yn taro bwrdd, yn llonyddu'r ystafell.

Yna aeth y dyn i sefyll wrth y ddôr, ym mherfeddion y coridor tywyll, i aros am y brodyr.

Daeth Carwyn adref, efallai'n diawlio bod y bylb wedi darfod. Buasai wedi cyrraedd y lamp ar y dreser cyn synhwyro'r presenoldeb dieithr wrth ei gefn. Wrth droi, gwelai'r dyn a'r Springfield wedi'i anelu ato. Mwy o bledio, mwy o addewidion, holi pwy oedd o efallai. Pwy oedd wedi'i yrru. Sylwi bod drws ystafell ei dad ar gau, a gofyn ar ei ôl. Cael ei yrru trwodd i'r gegin gefn. Ei orchymyn i benlinio. Dyna ddiwedd ar Carwyn Keynes. Buasai gan y dyn rywbeth, megis pot paent â thywod ynddo, gydag ef. Buasai'n rhoi bwled ychwanegol yn y Springfield. Yn ei osod yn llaw dde lipa Carwyn ac yn rhoi ei fys bawd ar y clicied. Rhoi'r mygwr wrth geg y *pot paent,* hwnnw wedi'i orchuddio â bag plastig, efallai, i osgoi gwasgaru tywod i bobman, a gwasgu bys Carwyn ar y glicied. Gadael i'r dryll ddisgyn ar lawr a boddi yn y llyn gwaed.

Wedyn, siŵr o fod, aros am Tecwyn. Deg munud, efallai hanner awr, yn mynd heibio. Gormod o amser rhwng y llofruddiaethau. Penderfynu gadael, y stori yn colli'i gwirionedd. Gadael y drws yn gilagored ar ei ôl.

Ond 'nest ti ddim rhoi'r bylb yn ei ôl, naddo ffycar, meddyliodd Felix. Shodi wyrc, feri shodi.

Agorodd Felix ei lygaid. Roedd ei fochau'n fflamio

a haen anghysurus o chwys yn glynu'i ddillad wrth ei gorff. Daeth sŵn adar bach y to o'r bondo uwch ei ben, a golau gwantan codiad haul yn torri drwy agoriad y cyrtan. Roedd awr neu fwy wedi mynd heibio.

Diolch, Felix.

Am be?

Fyddi di'n gwybod . . . cyn bo hir.

Myned trwy yr afon a phont ar bwys

Edrychodd Foxham i lawr llwybr yr ardd i gyfeiriad dôr y wal. Roedd radio symud-a-siarad yn ei law chwith, a gwn haels Kemen wedi'i agor yn gorwedd ar ei fraich dde. Roedd yn gwisgo pyjamas sidan, gŵn tŷ borffor foethus a sliperi lledr meddal. Symudai ei wallt brith tenau ar awel y bore rhynllyd. Roedd coed a phlanhigion aeddfed yr ardd, fel neuadd bingo cyn gêm, yn sibrwd a sisial o'i flaen.

'Lei-dawn,' meddai, a dyma'r Dobermaniaid yn ufuddhau. Roedd y ddau wedi colli rhan helaeth o'u clustiau a'u cynffonnau, yn ôl y drefn farbaraidd, er mwyn iddynt ymddangos yn filain. Roeddent yn edrych am yn ail ar y llwybr ac ar eu meistr, yn disgwyl cyfarwyddyd yn eiddgar. Canodd cloch yn uchel yn y tŷ a theithiodd y sŵn allan drwy'r drysau Ffrengig agored at Foxham ar y patio. Yr un pryd, dyma'r teclyn symud-a-siarad yn grwnan yn ei law.

'Steit iôr busnys,' dywedodd i fewn i'r radio. Cloch a grwnan, unwaith eto. 'Gow-sî,' meddai Foxham wrth y cŵn, a dyma'r ddau yn darganfod eu traed yn orawyddus ar y patio ac yn hyrddio'u hunain fel ebolion blwydd am y llwybr. 'Stedi, bois,' dywedodd Foxham yn hollol digynnwrf. Pan aethant o'r golwg clywodd Foxham y ddau'n cyfarth yn eiddgar a dyma fo'n gwenu. Cloch a grwnan eto. 'Ffycin ars-howl,' meddai Foxham, dan ei wynt, a thynnu dwy getrisen goch o boced ei ŵn. Rhoddodd un ym maril isaf y Kamen.

'Dyna ddigon.' Daith y llais o'r tu ôl i Foxham o'r creigiau oddi tanodd oedd yn dilyn at lan y Fenai. 'Tro rownd, yn slô.'

Dyma Foxham yn ufuddhau, a chafodd Felix ychydig o fraw o'i weld yn gwenu'n hynod.

'Wel pleid, Oswyn Felix. Pwy sy'n entyrteinio Romulus a Remus?' Pwyntiodd Foxham faril y gwn i gyfeiriad y llwybr.

'Ffrind i fi. Neb dwi 'di gorod talu, Foxham.' Roedd Felix yn anelu'r Beretta Tomcat gyda'i dawelydd at ganol Foxham. 'Tynna'r cartridj 'na allan a cau'r gwn.' Dyma Foxham eto'n ufuddhau. 'Ty'd yn nes, a rho fo i lawr yn fama.' Ildiodd i'r cais. Gafaelodd Felix yn y gwn hir gerfydd ei ganol arian addurnedig, cain. 'Lawr o fanna, trw'r reilings. Reit handi.'

Roedd Foxham yn dal i wenu ac yn dilyn y gorchmynion fel pe bai gwobr i'w chael ar y diwedd.

'O mlaen i,' meddai Felix a cherddodd Foxham yn ofalus ar hyd y llithrfa goncrit wedi'i hongli'n raddol am lan yr afon. Rhoddodd y Kamen i orwedd yn erbyn ei gorff ac edrychodd Felix yn sydyn ar ei oriawr; deng munud i saith. Roedd yr haul isel, fel llewyrch ar esgid ddu, ar y Fenai lonydd.

‘Ti’n disgwyl rhywun, Mistyr Felix?’ gofynnodd Foxham.

Gafaelodd Felix ym mhen baril y gwn haels a’i daflu, gyda’i holl nerth, i fewn i’r Fenai. Diflannodd y wên oddi ar wyneb ei garcharor a methodd yn ei ymdrech i gelu’r sioc a’r siom yn iaith ei gorff.

‘O’n i hefo’r copars tan tua hanner awr wedi dau bora ’ma. Cyn hynna ro’n i’n trio heb lwyddiant i gadw’n hun allan o’r stori, ac ar yr un pryd yn ffeindio pobol ’di mwrdro, yn y Sgubs. Dy fab di ddaru gychwyn y mès ’ma, a chdi sy’n mynd i’w orffen o – felna ma hi, ia Foxham?’

‘’S’gin ti unrhyw syniad faint gostiodd y gwn ’na?’

‘Ydi o ots?’ atebodd Felix. ‘Be ’sgin ti yn y dresin gawn ’na? Gwagia nhw.’ Tynnodd Foxham hanner dwsin o getris allan o’i bocedi. ‘Tafla nhw ar ôl y gwn.’ Lluchiodd Foxham nhw, fesul cetrisen, i’r dŵr, a dyma’r bwledi’n nofio gyda’r llif ysgafn. ‘Ma brawd, hanner brawd Kevin, yn meddwl bod y syniad o Gerald Foxham *Gangstyr Cingpin* yn chwerthinllyd. ’Dan ni’n gwbod yn wahanol, yn tydan? Un cwestiwn, Foxham. Pam?’

‘Pam be, Misdyr Felix?’

‘Jyst Felix.’

Cododd Foxham ei ysgwyddau ‘Be ti’n feddwl? Pam?’

‘Dwi ddim yn dod o Bangor; hogyn cefn gwlad o’n i nes mod i tua ugain oed. Ond pan o’n i’n hogyn bach yn tyfu fyny mewn pentra bach o’r enw Pantcyll, ges i ngwers ora. Un ’na i byth anghofio . . .’

Cododd Foxham ei law i stopio Felix a gwyrodd yn erbyn craig wrth ymyl y llithrfa gan roi ei ddwylo yn ei boced. Nodiodd ar ei ddaliwr i barhau.

'O'n i'n ddeg oed ella, ha' poeth poeth. Gwylia ysgol, a chriw go fawr o blant yn y pentra. Y plant hyna'n penderfynu chwara gêm, i bara drwy'r ha'. Wôr. Hollti'r pentra'n ddau a ca'l dwy fyddin. Un ochor yn y tomenni chwarel llechi, a'r llall yn ca'l yr ochor arall lle oedd y mynyddoedd ffarmio a'r llyn. Felly y gêm oedd osgoi ca'l dy ddal yn teritori'r gelyn, neu fysat ti'n ca'l dy gadw'n prisynyr tan amser swpar, neu rwbath tebyg . . .'

'Oes 'na bwynt i hyn?' gofynnodd Foxham.

'O'n i a Gwil bach ar ochor yr inclêns llechi, ond un diwrnod uffernol o boeth dyma ni'n penderfynu mynd am swim. Roedd llyn Pantcyll yn ddigon mawr ac roeddan ni'n gallu gweld rhai o'r cids yn nofio pen pella. Tipyn i ffwrdd. Mwynhau'r dŵr cynnas am ryw ychydig, wedyn mynd am adra. Ond roedd y plant eraill wedi sbotio ni hefyd a dyma ni'n ca'l tshês trwy'r caeau cêl. Ro'dd Gwil bach tipyn hŷn na fi, ond yn slo, ym mhob ystyr y gair, ti'mbo?'

Tawelodd y cŵn â'r awel a'r aer o'u cwmpas yn tewychu gyda disgwyliad y dydd. Roedd Foxham yn siglo'i ysgwydda arno ac yn gwgu, yn dynwared Felix a'i gyfaill yn blant, ei ddwylo'n dal yn ei bocedi.

'Ro'n i allan o'r cae tipyn ar y blaen o Gwil a'r giang oedd yn tshêsio ni. Es i fewn i'r hen dŷ bêls llechi wrth ymyl y cae, cuddio ar ben y tomen gwair, a taflu gwair ar fy mhen. Bach o'n i, fel ll'godan. Wedyn ddoth Gwil i fewn i'r adeilad yn tuchan a crio a chau'r drws ar ei ôl. Oedd o'n tynnu'n dynn ar handlan y drws a'i droed i fyny yn erbyn y wal, ac yn crio. Dyma fi'n gweiddi ar Gwil i ddod i fyny. Shshsh, cau geg, medda fo. Aros lle wyt ti, ma nhw'n taflu cerrig. Ar ôl 'chydig, a Gwil yn crio'n pathetic, dyma nhw'n cyrradd. Dwi'm yn cofio faint o blant, na pwy oedd yn y gang. Ond 'na'i byth anghofio be natho nhw i hogyn bach diniwad, un o'u ffrindia nhw, i fod. A finna'n edrych o ben y domen bêls yn methu helpu dim, dyma nhw'n peltio Gwil bach hefo cerrig a phrenia' ac yn gweiddi ac yn udo. Ac wedyn yn rhedeg i ffwrdd. Yn rhedeg i ffwrdd a gada'l yr hogyn bach yn beichio crio, methu ca'l 'i wynt. Lympia ar ei ben. Gwaed yn batshys ar ei dî-shyrt. Dwi erioed wedi teimlo gymaint o ofn, gymaint o gwilydd na mor flin, Foxham. Ti'n clywad?'

'Be ddigwyddodd i Gwil bach druan?' gofynnodd Foxham heb emosiwn.

'Byth 'run fath. Oedd o'n epileptig, ca'l ffitia'n amal. Dwi'm yn cofio os 'na oherwydd y diwrnod yna, ond nath Gwil farw cyn cyrraedd ei ugain oed. Ti'n deall fi, Foxham?'

'Bod chdi'n lecio dweud storis trist? Feri rowmantic, Felix.'

'Dwi ddim am fod yn un o'r hogia oedd yn taflu'r cerrig, dyna i gyd.'

'So be 'di'r gwn 'na yn dy law?'

'Os bysa'r gwn yma gynno fi, be, bum mlynadd ar ugain yn ôl? Dwi ddim yn siŵr fyswn ni ddim wedi saethu'r ffycars 'na hefo'r cerrig.'

'Ddy grêt afenjyr, Oswyn Felix!'

'Be ddigwyddodd i chdi, Foxham, o redag canolfan arddio i hyn?'

'Yli tu ôl i chdi, Felix. Ffifftîn iyrs yn ôl o'n i'n byw mewn tŷ bach shiti drws nesa i fusnas gwerthu planhigion i benshionîars am geinioga. Roedd 'y ngwraig i'n casáu fi ac wedi troi fy unig fab yn fy erbyn ac roedd un diwrnod yn union fel y nesa. Heblaw fod y biliau'n tyfu, a'n ffycing ylsyrs i hefyd. Yli tu ôl i chdi. Bob dim fysa dyn isho, Oswyn Felix. Pob dim. Be wyt ti isho, Felix? Enwa fo.'

'Taro bargen.'

'Neim it.'

'Os fedri di gyrraedd pen arall yr afon 'ma, nofio. Gei di a dy fab annwyl Kevin neud fel leciwch chi. 'Na i adal yr ardal. Nefyr tw bi sîn agen.'

Dyma Foxham yn snwffian trwy'i drwyn. 'Ti'n jocio?'

Taniodd Felix y gwn a neidiodd darn o ddŵr, fel brithyll, allan o'r Fenai. Tynnodd Foxham ei ddwylo allan o'i ŵn tŷ a'u dal allan o'i flaen a gwenodd, er ei anghyfforddusrwydd amlwg.

'Os ti'n rhoi cynnig arni ac yn methu, dwi rhoi fy ngair i ti fydda i'n gadal llonydd i Kevin. Cyn bellad â'i fod o'n gadal llonydd i fi, a mhobol.'

Roedd dwylo Foxham wedi mudo i'w arennau. Safai

wrth lan y dŵr, ei goesau ar led, fel Winston Churchill. 'Pam fyswn i'n gneud ffasiwn beth?'

Neidiodd brithyll dŵr arall allan o'r afon, yn nes y tro hwn.

'Os ti'n trio glanio nôl ar yr ochor yma, ôl bets âr off. Fydda i'n dod ar dy ôl di a dy fab. Dim ail gyfla.'

'Gei di dy ddal,' meddai Foxham. 'Os ti'n saethu fi, fydd y copars siŵr o ffeindio na chdi nath.'

'Pwy laddodd Keynes? Carwyn? A Carwyn Keynes? Tecwyn?'

'Be ti'n feddwl? Ti'm yn gall. Am be ti'n sôn?'

'Ma'n amser. Be tisho neud. Penderfyna.'

'Be am y bois, y cŵn?'

'Ma nhw'n mwynhau stêcs i frecwast, dyna pam ma nhw'n ddistaw. Dwi wrth 'y modd efo cŵn. Ar y cyfan gwell gynna i gŵn na phobol.'

'Dyma ni'n ffeindio tir cyffredin o'r diwedd.'

''Di o'm yn helpu chdi rhyw lawer – person wyt ti er gwaetha dy enw.'

'Ga i dynnu'r . . ?' Gafaelodd Foxham yng nghortyn ei ŵn tŷ.

'Gei di fynd yn noeth os tisho, ond reit handi.' Cymerodd Felix gam yn nes at Foxham. Gwenodd y dyn arno'n haerllug a disgynnodd y gŵn tŷ wrth ei draed. Cymerodd gamau bychain ar y concrid llithrig at lan y dŵr. Trodd Foxham a dweud, 'Dwy filiwn o bunnoedd.'

Ysgydwodd Felix ei ben arno gan anelu'r Beretta yn

unionsyth ato. Aeth Foxham i fewn i'r Fenai hyd at ganol ei grimogau. Edrychodd yn ei ôl eto, a gweld Felix yn dal i ysgwyd ei ben. Ysgydwodd yntau ei ben yn ôl tuag ato. Cyrhaeddodd y dŵr hyd at gluniau Foxham cyn i Felix ddweud, 'O. Foxham.' Edrychodd y dihiryn arno. 'Wela i chdi ar yr ochor arall.'

Diflannodd y gobaith yn llwyr o wyneb Foxham, estynnodd ei freichiau o'i flaen a phlymio i fewn i'r düwch o'i flaen.

Gwyliodd Felix o'r lan wrth i Foxham deithio'n annisgwyl o gyflym gyda'r cerrynt twyllodrus o gryf i lawr y Fenai am y bont. Roedd y diawl yn amlwg yn nofiwr cryf, gyda thechneg dda a strôc gyson. Ond roedd y Fenai'n afon beryglus, yn aml ar ei gwaethaf pan oedd yn llonydd, ei llanw'n gyflym a throellog. O fewn munud diflannodd Gerald Foxham, a gadael dim ar ei ôl.

Dringodd Felix dros y wal ac agor drws y teithiwr mewn fan fach wen. Roedd y Llyn wrth y llyw.

'Wel?'

'Wel, be ti'n feddwl.'

'Reit.'

'Sori mêt. Diolch i chdi.'

'Paid â sôn. Ti'n gyfarwydd â'r hen englyn am y Fenai 'ma?

'Sud mae'n mynd?'

'Rhywbeth tebyg i hyn –

Pwll Ceris, pwll dyrys drud – pwll yw hwn
    Sy'n gofyn cyfarwydd;
  Pwll annwfn yw, pwll ynfyd
  Pella o'i go' o'r pylla i gyd.'

Edrychodd Oswyn Felix ar ei ffrind am amser hir cyn i'r Llyn ddweud, 'Ma 'na gwpwl o stêcs ar ôl, ti'n ffansi?'

'Peint o Guinness, stêcsan, wy a madarch.'

'Be well?' meddai'r Llyn gan danio'r peiriant.

Roedd y ddau'n eistedd wrth y bar pan ddaeth Mike Glas-ai i fewn i'r Penrhyn am ddeg. Ar y bar wrth ochr hanner dwsin o wydrau peint gwag gorweddai paced heb ei agor o stêcs crwper o Tesco.

'Hogia,' dywedodd Mike Glas-ai.

'Mike, tywallta beint arall i ni, nei di?' meddai Felix yn ddistaw.

'Pwy sy 'di marw?' gofynnodd Mike.

Edrychodd Felix ar y Llyn, ac edrychodd y Llyn ar Felix. Dechreuodd y ddau chwerthin yn llugoer.

Cynt y cwrdd dau ddyn no dau fynydd

Haf 2011

EDRYCHODD Y DYN allan drwy'r ffenestr fae anferth ar Ynys Gifftan yng nghanol aber afon Dwyryd. Roedd *The Times* a'r *Daily Mirror* ar agor o'i flaen ar y bwrdd wyneb copr. Yfodd y llymaid olaf o'i *cappuccino* wrth weld y gweinydd yn clirio'r bwrdd cyfagos. Cododd y cwpan a dal ei sylw. Cymerodd Meical, yn ôl ei enw ar y bathodyn, y gwpan a'i rhoi ar ei hambwrdd.

'Unrhyw beth arall, Mister Seen?'

'Dim ar hyn o bryd. O, Meical?'

'Ia, syr.'

'Ydi Oswyn i fewn eto?'

'Pwy Oswyn, Misdyr Seen?'

'O'n i'n deallt bod aelod o staff o'r enw Oswyn Felix yn gweithio yma?'

'O! Felix? Felix 'di Felix. Dwi'n meddwl 'na fo sy'n agor y bar heddiw, so ddylia fod o yma rŵan.'

Estynnodd Seen bapur ugain punt o'i glip pres papur aur a'i roi ar yr hambwrdd.

'Gofyn i Felix os fysa fo'n meindio dod â pheint o Guinness i fi, plîs Meical, a cadwa'r newid.'

Edrychodd y gwas ar y gwestai, ei feddwl yn brysur y tu ôl i'w olwg wag, a llithrodd ei sylw i lawr at y papur ugain.

'Wrth gwrs, Misdyr Seen.'

Caeodd Seen y papurau, a'u plygu'n eu hanner. Gafaelodd yng nghwlwm ei dei a'i wasgu'n dynn i'w goler. Cododd ar ei draed a gwisgo siaced ei siwt ddrud. Rhwbiodd ochrau ei wallt byr gyda'i ddwylo. Edrychodd allan ar yr ymwelwyr yn mwynhau'r heulwen a'r golygfeydd, rhai'n dal eu hetiau rhag i'r gwynt cynnes ond cryf eu cipio. Ymhen ychydig, clywodd sŵn traed pwrpasol yn clepian ar y llawr pren wrth ei gefn. Tagodd pwy bynnag oedd yno'n sych. Trodd Seen a gweld Oswyn Felix, yn ei dici-bô a'i wasgod borffor, yn sefyll o'i flaen yn dal hambwrdd a pheint o'r bwyd Gwyddelig arno.

'Tecwyn Keynes, myn uffar i,' meddai'r gweinydd.

'As ai lif and brîdd. Sut wyt ti, Felix? Long taim no sî.'

'Tecwyn Keynes. Y. K. Seen. Ffycin hel, dwi'n dwp weithia.'

'Be 'nest ti? Tshecio hefo risepshiyn, pwy 'di'r boi sy'n mynnu ca'l ei beint gan Oswyn Felix?'

'A Gwglo chdi. Dyna biwti peint o Guinness, ma'n cymyd amser.' Rhoddodd y peint ar y mat diod ar y bwrdd a chynnig ei law i Tecwyn Keynes.

'Ti'n edrych yn dda, Felix,' meddai Tecwyn wrth gydio'n gynnes yn ei law gyda'i ddwy law yntau.

'Ti'n edrych yn ffycin gyfoethog, Tecwyn. Chdi 'di'r *Y. K. Seen Agency* top syrtsh ar Gwgl felly, ia?'

'Ti'n ffast, Felix.'

'Dwi'm yn licio sypreisys Tecwyn, ond ma chwilfrydedd wastad yn ennill y dydd, tydi. Lejít a chyfoethog. Pwy fysa'n meddwl!'

'Diolch yn fawr!' dywedodd Tecwyn, gan amneidio ar Felix i eistedd.

'O pryd welis i chdi ddwytha dwi'n feddwl.'

'O, 'y nhin i'n mynd allan o ffenest llawr cynta'r Penrhyn . . .'

'Ia. A llond bag o newyddion drwg ar dy gefn.'

'. . . amser gwyllt.'

'Gwallgo.'

'Ti'm yn ddyn anodd i ffeindio, Felix.'

'Dwi'm yn cuddiad, dyna pam. Os fyswn i'n cuddiad, fysa hi'n stori wahanol.'

'Ond be ti'n neud yn codi peintia mewn hotel yng nghanol nunlla? Be ddigwyddodd?'

'Cymon, Tecwyn, 'di o ddim fath â mod i'n gweithio fel rent boi lawr y docia na di? Rheolwr bar yn un o westai mwya eiconig y genedl, ai'l haf iw now.'

'Ia, ond be ddigwyddodd i'r Penrhyn Arms?'

'Ma be, chwech, saith mlynadd yn amser hir. Dwi'n lwcus bod joban gynna i o gwbwl yn yr hinsawdd ariannol . . . iada iada iada. Gwranda arna fi'n parablu. Felly. Ti mewn busnas – be ma nhw'n alw fo – rîseshyn prŵff. Pêl-droed.'

'Pêl-droed. Ble ma'r pres yn llifo fel gwin mewn Roman orji. Dyna ti'n feddwl?'

'Rhwbath tebyg, dim cweit mor lliwgar ella.'

'Wel os wyt ti'n un o'r top eijynts ma hynny'n agos at y gwir. Dwi'm yn cwyno, cofia, ond tu allan i'r Premiyship ma petha'n wahanol. Beibi sityr ydw i, yn y bôn.'

'Pam ti 'di dod 'nôl, Tecwyn?'

'Fel ddudes i Felix, ti'n hawdd dy ffeindio ac ma'n bryd talu dyledion.'

'Arna chdi, na neb arall, ddim byd i fi Tecs.'

Eisteddodd Tecwyn ar flaen cadair gyferbyn â Felix, ei benelinoedd ar ei bengliniau.

'Sut bysach chdi'n licio gwneud can mil o bunnoedd am llai na mis o waith?'

Edrychodd Felix i fyw llygaid Tecwyn. Rhoddodd ei law at ei wddf a rhwygo felcro'i ddico-bô yn rhydd. Cododd y peint llawn o Guinness oddi ar y bwrdd a'i yfed ar ei dalcen.